If Wom Really Ruled the World

It's clean(ish) and it's funny

Edited by
Alice D. Cooper

West One
PUBLISHING

© West One Publishing Ltd, 1999
Edited by Alice D. Cooper
Illustrations by Martin Impey

With special thanks to Nikki Esson

A CIP catalogue record for this book is available from the
British Library.
ISBN 1 900327 54 6

Published by
West One (Trade) Publishing Ltd
Kestrel House
Dukes Place
Marlow
Bucks SL7 2QH

Telephone: 01628 487722
Fax: 01628 487724
E-mail: sales@west-one.com

To my father,

who taught me to find humour

in the most unlikely places.

With particular thanks to Kate Hindle,

Camilla Baskcomb, Philippa Davie, Philippa Dunning,

Emma Kirby, Lesley Sutton, and Mandy Wheeler

amongst the many contributors.

Taking charge of the World...

Women have always ruled the world – after all, women gave birth to, raised, disciplined, supported and nurtured every man in this world.

We would all learn that the real art of conversation is not only to say the right thing at the right time, but also to leave unsaid the wrong thing at the tempting moment.

Freedom of the press would mean no-iron clothes.

Men would realise that, when they marry Miss Right, her first name is Always.

If Women Ruled the World...

Women would get the sports pitches first, and get the best coaches whether male or female.

PMT would become a legitimate defence in courts worldwide.

Page 3 girls would be geared to women who like that sort of thing.

All politicians, judges and captains of industry would be women.

Team building exercises would include leg-waxing and chocolate rather than muddy assault courses.

Women would get paid according to ability and not according to their golf handicap.

There would be 1,000 more ladies' public toilets – and queues for the men's toilets.

If Women Ruled the World...

Workmen and delivery men would turn up at a specified time, and wouldn't be condescending to the 'little women'.

Sport would be as entertaining as soaps.

Men would be taught the art of conversation and communication, so that women would be less tempted to go out quaffing Chardonnay with their mates.

All women's sports would be televised and reported in newspapers, not just those whose participants wear skimpy shorts.

Cars would fill themselves with petrol and handle their own maintenance.

Women would plant men and grow their own dope.

A husband's salary would be paid directly into his wife's bank account.

Adolescents would say, "You have a lie-in tomorrow, Mum. I'll do the housework," and say it more than just once.

Babies would be born already toilet-trained – so saving time, money and the environment.

The correct name for every car part would be a 'thingummyjig'.

Be careful what you wish for...

Three women were out playing golf.
One woman hit her ball into the woods. When she
went to find it, she found a frog in a trap.

The frog said: "If you release me from
this trap, I'll grant you three wishes."

So she freed the frog, and it said:
"Thank you. Oh, I forgot to tell you there's a
condition to your wishes. Whatever you wish for,
your husband will get 10 times more or better."

The woman said: "OK, for my first wish, I want to
be the most beautiful woman in the world."

The frog reminded her: "You realise that this will
make your husband the most handsome man in the
world, an Adonis – women will flock to him."

"Ah, but I will be the most beautiful woman in the world – he'll have eyes for only me."

So poofff! and she's the most beautiful woman in the world.

"For my second wish, I'd like to be the richest woman in the world."

"So your husband will be 10 times richer than you," said the frog.

"That's fine," she replied. "What's mine is his, and what's his is mine."

So poooff! and she's the richest woman in the world.

"And your third wish?" prompted the frog.

"I'd like a mild heart attack."

Keep STILL...

A woman was ENTERTAINING her lover when she heard her husband OPENING the front door.

"QUICK!" she cried, "Stand in the corner."
She quickly rubbed baby oil ALL OVER HIM and then she DUSTED him with talcum powder.
"Don't move until I tell you to – just PRETEND you're a statue."

"What's that, darling?" asked her HUSBAND, entering the room.

"Oh, that – it's just A STATUE," she replied nonchalantly.
"The DAVENPORTS bought one for their bedroom, and I liked it so much, I got ONE FOR US, too."

No more WAS SAID about the statue, not even later that night when they WENT to sleep.

Around two in the MORNING, the husband got out of bed, went to the kitchen and RETURNED a while LATER with a SANDWICH and a GLASS OF MILK.

"HERE," he said to the statue, "EAT SOMETHING.
I stood like an IDIOT at the DAVENPORTS for three days
and no one OFFERED me as much as a glass of water."

A real BARGAIN...

A man goes to the doctors with a TERRIBLE headache.

After exhaustive tests, the doctor takes a deep breath and says, 'I've got some good news and some bad news. The bad news is that you have an inoperable brain tumour. The good news is that this hospital is pioneering brain transplants and, as luck would have it, we have two brains to choose from. There's been an unfortunate car accident and a young couple have been killed. You can buy whichever brain you like: the man's costs £100,000 and the woman's costs £20,000.'

'So the big price difference is because the woman's brain is smaller and less intelligent?'

'NO,' replies the doctor, 'THE FEMALE BRAIN HAS BEEN USED'.

Punctuation IS ALL...

An English professor wrote the words:
'A woman without
   her man is nothing.'
on the blackboard and asked the students
to punctuate it correctly.

The men wrote:
'A woman, without her man,
                  is nothing.'

The women wrote:
'A woman, without her,
        man is nothing.'

Remember...

the only person who got everything done by Friday was Robinson Crusoe.

In a recent magazine article, it said that the typical symptoms of stress are eating too much, impulse buying and driving too fast. Are they kidding or something? It sounds like a perfect day.

If you lay all the male managing directors end to end, they still wouldn't reach a decision.

Stop telling us that most male strippers are gay – we don't care!

Remember...

the next time you men joke about armed women in combat, take a poll and see which of you hit the toilet properly.

We're quite well aware that you can probably beat us at arm wrestling. However, very few raises or promotions were gained by arm wrestling the boss for one.

If the Three Wise Men had been Three Wise Women, they would have asked directions, arrived on time, helped deliver the baby, cleaned the stable, made a casserole and bought practical gifts

Questions and Answers...

Q What do you call 10 men sitting in a circle?
A A dope ring.

Q How do you save a man from drowning?
A Take your foot off his head.

Q Why do only 10% of men make it to Heaven?
A Because, if they all went, it would be hell.

Q What do you call a man with half a brain?
A Gifted.

Q Why is it good that there are female astronauts?
A When the crew is lost in space, at least the women will ask for directions.

Remember...

"In politics, if you want anything said, ask a man; if you want anything done, ask a woman."

Margaret Thatcher

"Some of us are becoming the men we wanted to marry."

Gloria Steinhem

"Man has his will – but woman has her way."

Heinrich Hoffman (1809-74)

'The Autocrat of the Breakfast Table'

"The crow croweth, but the hen delivereth the goods."

Anon

"Never let a fool kiss you,
and never a kiss fool you."

Traditional

"Become a true expert in something – anything.
Then the question of your being
a woman will barely raise its head."

Dr. Janine Cooper

"The male function is to produce sperm.
We now have sperm banks."

Valerie Solanass

"A woman has to be twice as good as a man
to go half as far."

Frannie Hurst (1889-1968)

10 things that women hate about men…

1. Men can **handle** only one **thought** at a time.

2. The orphan socks in the washing machine.

3. They say, "I love you," only when they're **drunk** and/or in potential trouble.

4. The latent Neanderthal that emerges in male company with the help of copious amounts of beer.

5. Laddish magazines that encourage No 4.

6. They are worse, bitchier gossips than women.

7. Their fanatical love for a game consisting of a small, inflated ball kicked around by men in poorly-designed synthetic shirts.

8. Their delusion that they are invisible in their cars, and that no-one can see them picking their noses.

9. Their excessive enjoyment of obscene anti-women jokes.

10. Abandoned toe-nail clippings that fly off into outer space, but reappear in the most unlikely and annoying places.

If Women Ruled the World...

All make-up and beauty products would be free from VAT

All chocolates and chocolate dishes would be deemed zero-rated calorie-wise.

Shopping would be promoted to an Olympic class sport with aerobic benefits.

Leg waxing and other beauty treatments would be available on the National Health.

We would find a way to stop a two-pound box of chocolates making you put on five pounds.

All women would receive their choice of tights, contraceptives, etc. – absolutely free.

Life would no longer be an endless struggle full of frustrations and challenges, as it would be easy to find a hairstylist you like.

Men would have to learn resuscitation techniques or keep their shoes on.

Any man who clanks with jewellery will be forced to limit his gold to a proportion of his body weight.

We would learn that the joy of middle age is that hot flushes keep you warm.

If Women Ruled the World...

Jogging would be banned for health reasons: too many women find that their thighs rub together and set their knickers on fire.

Time may be a great healer, but we would stop it being a lousy beautician.

All cars would be specially equipped with warning sensors and beeping alarms to help avoid accidents by women window-shopping from their cars.

Kilts and shorts for men would be encouraged – let's see those legs!

We would decree that age is important only if you're cheese or wine.

The checking and rearranging of the male undercarriage in public places would be banned, especially on sports fields.

The wearing of string vests uncovered would be banned.

Men wearing pyjamas are allowed – provided the top isn't tucked into the bottoms.

We would discover why, if you hang something in your wardrobe for a while, it miraculously shrinks two sizes.

If Women Ruled the World...

Research into self-deodorising socks for men would be implemented.

All men would be forced to spend a month on a PMT simulator.

Any man commenting about female body hair will find himself punished by three painful waxing sessions – at his expense.

After-shave would be limited to specific parts per thousand in the atmosphere.

On-the-spot fines for undone flies.

During **their** mid-life crisis, men would get hot flashes and women **would** date 19-year-olds.

Men would **not** be allowed to wear socks with **their** sandals.

If Women Ruled the World...

Men would learn that there are two things that cannot be hurried: romance and eyeliner.

Men are like high heels; they're easy to walk on once you get the hang of it.

Men could never rule the world – how would they get dressed in the morning?

Every woman would have one day's 'chocolate leave' every month.

If you're going bald, consider how much money you'll save on hair care.

Ties featuring cartoon characters would be banned from business meetings – women have a hard enough time taking men seriously.

All items of men's clothing and belongings would be electronically tagged to response audibly to their owner's particular whine, "Where are my underpants, hat, rugby boots, map, keys, shoe polish... etc."

Toe-nail clipping would be carefully monitored to minimise the slashing of socks and their curious appearance in unlikely and unsavoury locations.

Toupees would be banned. Men would have to undergo strict wind-tunnel tests to sort out the baldies. And what's wrong with being bald?

If Women Ruled the World...

Men would have to worry about whether their underwear was visible and clean when standing in front of a light – their clothes would also be see-through under such circumstances.

If we're watching football with you, we're not bonding, we're watching the bottoms in tight shorts.

The reasons why our bras don't always match our knickers is because we actually change our underwear.

Baseball caps would actually make men look attractive and virile.

Men would be loving and caring all day long and then turn into chocolate cake and pizza.

When you're out with us, we'd prefer you to wear our favourite outfit rather than yours. Remember, the torn jeans and dirty T-shirt will last so much longer that way.

Alcohol would make men loving and sweet-natured.

Women's legs wouldn't grow hairs.

Chips would be the major part of a calorie-controlled diet.

Exercise equipment would tone you up every time you looked at it.

10 ways to burn up additional calories...

Exercise	Calories burned per hour
1. Beating around the bush	75
2. Jumping to conclusions	100
3. Climbing the wall	150
4. Throwing your weight around (depending on your weight)	50-300
5. Making mountains out of molehills	500
6. Blowing your own horn	25
7. Adding fuel to the fire	160
8. Opening a can of worms	50
9. Going over the edge	25
10. Picking up the pieces afterwards	380

And now – sport...

Women's idea of fantasy football,
Option 1: rugby

Women's idea of fantasy football,
Option 2: soccer without shorts

Women's idea of fantasy football,
Option 3: any other sport

The older you get, the tougher
it is to lose weight because, by then,
your body and your fat are
really good friends.

Questions and Answers...

Q How can you tell if a man
is really ugly?
A A cannibal takes one look and
orders a salad.

Q What do you know when you
spot a well-dressed man?
A His wife is good at selecting
his clothes.

Q How does a man keep his youth?
A By giving her money, fur
and diamonds.

Q How does a man take a bubble bath?
A He eats beans for dinner.

Questions and Answers...

Q How do men exercise on the beach?
A By sucking in their stomachs every time they see a bikini.

Q Why is Colonel Sanders like the typical male?
A All he's concerned with is legs, breasts and thighs.

Q What do men and beer bottles have in common?
A They're both empty from the neck up.

Warning for men...

Q What's the difference between a pit-bull terrier and a woman with PMT?

A Lipstick.

Q What is a man's favourite 7-course meal?

A A hot dog and a six-pack of beer.

Q How can you tell when a man is well hung?

A You can just barely slip your finger in between his neck and the noose.

Q What do you do with a man who thinks he's God's gift to women?

A Exchange him.

Questions and Answers...

Q How do we know that men invented maps?
A Who else would make an inch into a mile.

Q What did the elephant say to the naked man?
A It's cute, but can you pick up peanuts with it?

Yes, we know that most of the world's greatest chefs are men. So why is it that you never want to cook?

Spare some CHANGE...

A beggar is sitting on a Knightsbridge street holding out his hand for alms. A well-dressed woman totters by on her high heels.

"Please," croaks the beggar,

"I haven't eaten for four days."

"Oh!" cries the woman,

"I wish I had your willpower."

If Women Ruled the World...

"Why can't they stop wearing neckties? How intelligent is it to start the day by tying a little noose around your neck?"

Linda Ellerbee

"If high heels were so wonderful, men would be wearing them."

Sue Grafton

"Il faut de temps pour ítre femme."
"It takes time to be a woman."

Anon

"Taking joy in life is a woman's best cosmetic."

Rosalind Russell (1911-1976)

A Reminder for women...

An easy way
to forget all your
troubles is to slip on a pair
of tight shoes –
you won't be able
to think about anything else.

A Reminder for men...

Remember, eye contact
is best established
above shoulder level.

20 reasons why it's great to be a woman…

We know the truth about whether size matters.

New lipstick gives us a whole new lease on life.

If we forget to shave, who notices?

If we have a spot, we know how to conceal it.

We have the ability to dress ourselves.

There are times
when chocolate really can solve
all your problems.

We can fully assess a person
just by looking at their shoes.

We can cry
and get off speeding fines.

Men die earlier – so
we get to cash in on the life insurance.

We don't look like
a frog in a blender when we're dancing.

Free drinks, dinners, etc.

20 reasons why it's great to be a woman...

We can wear platform shoes,
as there's no such thing as
'little woman' syndrome.

If you have to be home
in time for Eastenders, you can say so,
out loud.

We look elfin and gorgeous
in our men's clothes;
they look complete idiots
in ours.

We never have to decide
where to hide our nasal-hair clipper.

We can use cosmetics,
in the unlikely event we should we wake up
looking like something the cat dragged in.

We can scare male bosses with
mysterious gynaecological disorder excuses.

It's cool to be a daddy's girl.
It's sad to be a mummy's boy.

We don't have to blow a fortune
chatting with our mates.

We know how to light the oven.

The top 10
"If women really ruled the world"
T-shirt slogans...

1. Next mood swing: 6 minutes.

2. WARNING:
I have an attitude and I know how to use it.

3. All stressed out and no one to choke.

4. Don't worry; it'll seem kinky only the first time...

5. Of course I don't look busy...
I did it right the first time.

6. I'm multi-talented:
I can talk and annoy you at the same time.

7. Do NOT start with me. You will NOT win.

8. You have the right to remain silent.
So please SHUT UP.

9. And your point is...?

10. I hate everybody, and you're next.

10 Diet Rules...

If no-one sees you eat something, it has no calories.

When drinking a diet Cola with a chocolate bar, the fat in the chocolate bar is cancelled out by the diet Cola.

When you eat with someone else, calories don't count if you don't eat more than they do.

Food used for medical purposes does not count; for example, hot chocolate, toast, cheesecake, vodka, etc.

If you fatten up the people around you, you will look thinner.

Cinema-related foods have a zero calorie count, as they are part of the entertainment package and are not included as food intake.
This includes popcorn, Maltesers, ice creams, etc.

Biscuit pieces have no calories, because breaking the biscuits up causes calorie leakage.

Anything eaten while standing up has no calories, due to gravity and the density of the calorie mass.

Food with the same colour has the same amount of fat; for example spinach and peppermint ice cream.

Chocolate is a food colour wild card and may be substituted for any other colour.

10 reasons why chocolate is better than sex...

1. You can get chocolate at any time.

2. You can safely enjoy chocolate while you are driving.

3. You can make chocolate last as long as you want it to.

4. You can have chocolate even in front of your mother.

5. Two people of the same sex can enjoy chocolate without being called names.

6. The word 'commitment' doesn't scare off chocolate.

7. You can have chocolate on top of your desk without disturbing your colleagues.

8. You can ask a stranger for chocolate without getting your face slapped.

9. You're never too young or too old for chocolate.

10. Size doesn't matter with chocolate.

Working on
your relationships...

Men would have to work on relationships
as much as they work on their careers.

Women would retain the high ground.
If they cheated on their partners, people
would assume it was because they were
being emotionally neglected.

After a baby is born,
men would take six weeks' paternity leave –
to wait on their wives hand and foot.

A woman's chief asset would remain
a man's imagination.

Working on
your relationships...

Our bedtime headaches are
inversely proportionate to the
number of baths you take.

If women gossip, how come you and your
friends can keep track of who's available?

We would make sure that a man's contribution to
child care should go above and beyond
that 'y' chromosome they unselfishly sacrificed.

Men marry because they are tired,
women because they are curious;
both are disappointed.

A short bedtime story...

Men would realise that it wasn't true that married men live longer than single men – it just seems like it.

If Women Ruled the World...

All toilet seats would be self-lowering within 15 seconds of the flush.

The trouble with some women is that they get all excited about nothing (and then they marry him).

All men would say what they mean, and mean what they say.

The only way for a man to understand a woman is to love her – and then it is not necessary to understand her.

"A man in love is incomplete until he has married. Then he's finished."

Zsa Zsa Gabor

"A gentleman is a patient wolf."

Henrietta Tiarks

"God could not be everywhere, so he created mothers."

Old Yiddish saying

"Behind almost every woman you ever heard of stands a man who let her down."

Naomi Bliven

"God created Adam, then corrected her mistake."

Brooklyn Women's Bar Association

20 ways to drive men crazy...

Be ambiguous at all times.

Cry. Cry often.
Tell them it's their fault

Bring things up that were
said, done or thought years,
months or decades ago.
Cry.

Play Alanis Morisette's You oughta
know loud. Look at them. Smile.

Correct their grammar.

Look them in the eye
and start laughing.

When complimented, be paranoid.
Cry.
Take nothing at face value.

20 ways to drive men crazy...

Get cross at them for everything
and make them apologise.

Talk about your ex-boyfriend –
compare and contrast.

Claim the right to be late.
Shout at them if they're late.

Gather many female friends and dance to
I will survive while they're there.
Sing all the words. Sing to them. Sing loud.

Constantly claim you're fat. Ask them.
Then cry, regardless of their answer.

Make them wonder. Confusion is a good thing.

Declare that you are not bonkers.

Criticize the way they dress – including their hairstyles.

Criticise the music they listen to.

Ignore them. When asked, "What's wrong?" tell them that, if they don't know, you're not going to tell them.

If they screw up in any way, never let them forget it.

Blame everything on PMT – but only after it has been blamed on them.

Make them guess what you want and then get cross when they're wrong.

If Women Ruled the World...

There would be no wars –
just huge 'phone bills.

"You see a lot of smart guys with dumb women,
but you hardly ever see a smart woman
with a dumb guy."

Erica Jong

"I think – therefore I am single."

Lizz Winstead

"Don't compromise yourself.
You're all you've got."

Janis Joplin (1943-1970)

5 pieces of advice from children...

1. When your dad is mad and asks you, "Do I look stupid?" don't answer.

2. Never tell your mum her diet isn't working.

3. Don't pull your dad's finger when he tells you.

4. When your mum is mad at your dad, don't let her brush your hair.

5. When you get a bad grade at school, show it to your mum when she's on the 'phone.

Reminder for men and women...

Women marry expecting a man to change, but he doesn't.

Men marry expecting that a woman won't change, but she does.

Reminder for men...

The best way to remember your wife's birthday is to forget it once.

"My son is my son 'til he gets a wife,
But my daughter's my daughter for all her life,"

Traditional

5 ways to spot when a man is lying...

He uses short sentences – a novelty and a dead give-away.

He hesitates when confronted – his pea-sized brain trying to create a plausible fiction.

He speaks faster – usually at a speed only ever heard when trying to get the beers in before last orders.

His voice goes up an octave and you're nowhere near grabbing his soft underbelly.

He covers his mouth nervously with his hand – pathetic creature can't hide his smile.

10 reasons why a night out with the girls is more fun...

1. The conversation is more relaxed, more interesting – women rarely talk about their cars.

2. You can drink girlie drinks – after all, you are a girl.

3. You can flirt with waiters and taxi drivers as much as you like.

4. You can chat in the loo.

5. You can spend ages getting ready.

6. You can wear all the clothes he hates.

7. You can dance as much as you like because you like it, not because it's a way to pick up men.

8. Your girlfriends are much better dancers (not difficult).

9. You can never embarrass your girlfriends with your behaviour, so there are no limits.

10. You can spend ages on the 'phone the next day reliving the night's events and finding out what you can't remember.

A reason to smile...

Every 7 minutes of every day, someone somewhere in an aerobics class pulls a hamstring.

They keep telling us to get in touch with our bodies. Mine isn't very communicative, but I heard it clearly the other day when I asked myself, "Shall I go to the six o'clock class in body toning?" Clear as a bell, my body replied:

"Listen, bitch; do it and die."

10 things you'll never hear one woman saying to another...

That swimsuit really flatters your figure. Would you mind keeping my husband company while I go for a swim?

I'm sick of dating doctors and lawyers. Give me a good old-fashioned waiter with a heart of gold any day!

His new girlfriend is thin and better-looking than me. I'm happy for them both.

If he doesn't let me hold the remote control for the TV, I get all moody.

Oh, look! That woman and I have the same dress on! I'll think I'll go and introduce myself.

10 things you'll never hear one woman saying to another...

He earned more than I do, so I broke up with him.

We're decorating the bedroom and he just keeps on and on about the colours.

He talks our relationship to death – it's driving me crazy.

Why can't I find a nice guy for wild, carefree sex who then just goes his separate way for once?

I've just realised: My bum doesn't look fat in this – my bum is fat!

A doll's life...

A man walked into a store to buy a SINBIE DOLL
FOR HIS daughter.

"How MUCH is that Sinbie in the window?"
he asked THE SHOP assistant.

In a CONDESCENDING manner she replied:
"Which ONE? We have:
Athletic Sinbie £19.95
Supermodel Sinbie £19.95
Shopping Sinbie £19.95
Beach Babe Sinbie £19.95
Disco Sinbie £19.95
oh, and DIVORCED SINBIE – that's £250."

Puzzled, HE ASKED:"Why is Divorced Sinbie £250
when the OTHERS are all £19.95?"

"That's OBVIOUS," sighed the assistant patiently,
"Divorced Sinbie comes with LEN'S house, LEN'S car,
LEN'S boat, LEN'S furniture..."

I wish I was a bear...

I WISH I was a bear.
If you're a bear, you get to HIBERNATE.
You DO NOTHING but sleep for six months.
I could get USED to that.

And ANOTHER thing:
Before you hibernate,
you're supposed to EAT YOURSELF silly.
That WOULDN'T bother me either.

If you're a mama bear,
everyone knows YOU MEAN business.
You swat ANYONE who bothers your cubs.
If your cubs get out of line,
you SWAT THEM, too.

Your husband EXPECTS you
to GROAN when you wake up.
He expects you to have HAIRY LEGS
and excess body fat.
HE LIKES IT.

I wish I WAS a bear.

10 things every woman should know...

How to leave your job, break up with a man and confront a friend without ruining a friendship.

When to try harder and when to walk away.

Who you can trust, who you cannot and why you shouldn't take it personally.

How to have a great time at a party you'd never choose to attend.

What you can and cannot accomplish in a day, a month and a year.

That you can't change the length
of your calves, the width of your hips
or the nature of your parents.

What you would and would not do
for love, or more.

How to live alone,
even if you don't like it.

How to kiss a man in a way that
communicates perfectly what you would
and would not like to happen next.

Where to go – be it your best friend's kitchen
table or a charming inn hidden in the woods –
when your soul needs soothing.

10 things every woman should have...

One old boyfriend you can imagine going back to, and one who reminds you of how far you've come.

Enough money within your control to move out and rent a place on your own, even if you never want to or need to.

Something perfect to wear if the man of your dreams wants to see you in a hour.

A youth that you're content to move beyond.

A past juicy enough that you're looking forward to re-telling it in your old age

A set of screwdrivers, a cordless drill and a black lacey bra.

One friend who always makes you laugh, and one who lets you cry.

A handbag, a suitcase and an umbrella you're not ashamed to be seen carrying.

A skin care regime, an exercise routine and a plan for dealing with those few facets of life that don't get better after 30.

A feeling of control over your destiny.

Ouch!

A man and his wife of MORE THAN 50 years
were ROCKING back and forth on their front porch.
Slowly they rocked, IN RHYTHM, as this was their
time TO SPEND a few quiet moments together,
and after years of PRACTICE they rocked
TO AND FRO at the same pace.

One day, the wife stopped and GRABBED her cane.
With a loud THWACK! she hit her husband
hard across the shins.

His eyes WATERED, and tears ran down his cheeks.
When he'd finally caught HIS BREATH, he gasped:
"WHAT did you DO THAT FOR?"

"THAT'S FOR 50 years OF BAD SEX," she said, and FOLDED her hands.

He nodded and SAID NOTHING.

Slowly they began to rock again, and AGAIN they kept pace. BACK AND FORTH. Back and forth they rocked, until suddenly the old man stopped and PICKED up his cane.

He reached over and WITH A LOUD sharp THWACK! he hit his wife across the shins.

Tears COURSED down her face. "WHAT was THAT FOR?" she spluttered.

"THAT," said her husband as he began to rock again, "IS FOR KNOWING THE DIFFERENCE."

If Women Ruled the World...

Men would say:
"I don't mind what we watch, darling.
You choose."

Men would promise to
'love, honour and share the housework'.

Men would acknowledge that women
are better drivers.

Men would be able to
recognise more than the bottle opener
in the cutlery drawer

10 things you'll never hear a woman say...

1. Do you think this dress makes me look too slim?

2. Put your money away; let me buy the round.

3. A fake one will do.

4. Have a night out with your mates; you deserve it.

5. That Pamela Anderson has a lovely body.

6. My mother is a right old bitch.

7. No, no; you buy me too much already.

8. What headache?

9. You take me out too much. Can't we just stay in?

10. Of course I don't want breakfast in bed.

If Women Ruled the World...

Women would be able to walk past a building site without thinking they had made a wrong turn and passed the monkey house at the zoo.

Football pundits would have to do a mandatory 30 hours' community service for the years of drivel that has poisoned men's minds and conversation.

Male sexist comments would diminish with the threat of penalties including the application of chili sauce to any available soft mucus membrane.

Men would learn that a large
or ferocious dog doesn't actually make
them appear more masculine.

If Women Ruled the World...

At least half the week, men would be forced to stay in and watch football – and so provide an excellent baby-sitting service.

Singles bars would be equipped with metal detectors to weed out the married men with wedding rings hidden in their pockets.

Men would be judged by their looks alone, while women would be judged by their accomplishments.

Husbands are like cars: all are good in the first year.

Men would become mind readers, and so would always know precisely what every woman wants.

Men would not wait for a power cut to think about a candlelit dinner

Men would be allowed to continue giving guilt gifts – they're always nicer than a real gift.

Men would be trained to treat women like cars. Then at least they'd get a little attention every six months or 10,000 miles, whichever came first.

Men would learn that two wrongs are only the beginning.

If Women Ruled the World...

Men would learn that winning
at Monopoly or Scrabble doesn't necessary
make them a more interesting person.

Special 'spitting' rooms would be created –
well away from civilised folk – where men
could go and spit to their hearts' content
and slip up on their spit;
thus keeping the streets spit-free.

In tennis, the skill with which
a ball is played would carry more points
than the speed the ball travels –
enough of that super-serve monotony.

Men would learn to nurse themselves when ill instead of giving an Oscar winning death bed impression when they have the mildest of colds.

Whenever possible, men would learn that whatever they have to say can be said after the film or programme is finished.

Porn videos would never feature strange Germanic men sporting dubious moustaches, accompanied by a dodgy soundtrack.
Instead, they would feature interesting co-ordinated interior design ideas and romantic, generous men with six pack stomachs.

10 reasons why DIY 'know it all' men should have limited access to their toolboxes...

They can't annoy the family and the entire neighbourhood with banging and drilling at unreasonable hours.

They don't try to do odd jobs around the house and rob an expert of a day's wages.

They don't waste time trying to mend the car – they don't have the patience for jigsaw puzzles, let alone reassembling the clutch.

They don't take up valuable hospital time with wounds inflicted by gross stupidity.

They would be available for more washing up duties.

They can then spend hours out of the house browsing through DIY superstores and asking quasi-technical questions to Saturday part-timers who haven't a clue themselves.

They can't assemble the flat-packed furniture, lose their temper, throw their tools around (causing more damage) and flounce off down the pub leaving chaos and Alan keys in their wake.

They don't waste money on inadequate materials – so you have to pay to get the expert in as well.

They need to learn that 'O' level woodwork isn't going to help them re-wire the house.

They don't drain the National Grid by ignorant use of drills.

You guys must think we're stupid…

A NEWLY-MARRIED man was invited out
for a night WITH THE BOYS.
He promised his NEW WIFE he'd be home by midnight.
Well, THE YARNS were spun, the GROG went down, the
backs were slapped and suddenly it was nearly 3 a.m!
He stumbled HOME and, just as he OPENED the door,
the cuckoo clock WHIRRED and cuckooed three times.
Quickly realising she'd probably wake up,
he cuckooed another NINE TIMES, then he sneaked
into bed, FEELING smug that he still had the
quick-wittedness to ESCAPE a possible conflict
even when well-refreshed.
In the morning, he was SOMEWHAT under the weather.

"AND WHAT TIME did you GET HOME?"
enquired his wife casually.

"OH, MIDNIGHT."

She just SMILED, so through his gargantuan
hang-over the husband heaved a SIGH OF RELIEF that
he'd GOT AWAY with it.

"I THINK WE NEED a new CUCKOO CLOCK,"
she then said thoughtfully.

"WHY?

"WELL, IT CUCKOOED three times, said, '**** IT,'
cuckooed ANOTHER four times, HICCUPED,
cuckooed ANOTHER three times, cleared its throat,
CUCKOOED TWICE AND GIGGLED."

University of Life:

Two-year course: How to be a real man

Course content:

Year 1: Autumn Term

Men 100	Combating stupidity
Men 101	You too can do housework
Men 102	PMT – when to keep your mouth shut
Men 103	Why women don't want sleazy underwear for Christmas

Year 1: Winter Term

Men 110	Wonderful laundry techniques
Men 111	Understanding the female response to getting home at 4 a.m.
Men 112	Parenting – it doesn't end with conception
Eat 100	Get a life – learn to cook
Eat 101	Get a life – learn to cook, Part II
Econ 001a	What's hers is hers

Year 1: Spring Term

Men 120	How not to act like a complete arse when you're wrong
Men 121	Understanding your incompetence
Men 122	Men, the weaker sex
Men 123	Reasons to give her flowers

Year 2: Autumn Term

Sex 100	Learning to fall asleep without it
Men 200	How to stay awake after it
Men 201	How to put down the toilet seat
Men 202	The TV remote control – overcome your dependency
Men 203	Learn how to not to act younger than your children
Men 204	You too can be a designated driver
Men 205	Accepting that you don't look like Tom Cruise
Psy 100	Learning that her birthdays and anniversaries are important, Part I

Year 2: Winter Term

Men 210	Omitting expletives from your vocabulary (Pass/Fail only)
Men 211	Learn how to ask for directions
Psy 103	Thirty minutes of begging is not what you think it is
Psy 102	Her birthdays and anniversaries are important,

Part II

Men 158	Learning when and how to change the toilet roll

Course Electives

Eat 140	Learning the importance of utilising eating utensils
Eat 145	Burping and belching with discretion
Psy 109	Respecting your mother-in-law
Psy 198	Listening and saying just, "Yes, dear. Of course."

Men drivers...

A woman driver and a man driver were

INVOLVED in a car accident.

Both cars were written off, but amazingly they

both ESCAPED with just minor cuts and bruises.

After they'd crawled out of their wrecked

vehicles, the man noticed that the woman was

INCREDIBLY beautiful.

The woman said:"So, you're a man...

that's interesting. I'm a woman.

Wow! Just look at our cars!

This must be a SIGN from GOD that we

should meet and be friends and live together

in peace for the rest of our days."

The man agreed.

"And look at this; here's ANOTHER miracle...
My car is completely demolished, but this bottle
of wine isn't even cracked.
Surely God wants us to drink this wine and
CELEBRATE our good fortune."
He agreed again, so she handed the bottle
to him. He opened it and drank half the
contents, and then he handed it back.
She IMMEDIATELY put the cap back on
and handed it back to the man.

"Aren't you having any?"
asked the man.

"No, I'll wait for
the police to arrive."

No, we're not impressed by your car –
it takes no special skill or qualifications to
make monthly car payments.

Please don't drive when you're not driving.

If you were really looking for an honest
answer, you wouldn't ask in bed.

We don't care if you hold the remote.
However, unlike you, we don't enjoy watching
27 seconds of 129 different programmes.

"The fastest way to a man's heart
is through his chest."

Roseanne Barr

The next time you joke about female drivers, find out the number of car accidents caused by men staring at girls in mini-skirts.

If you must grunt in reply, please develop a system to indicate a positive or negative grunt.

Why do you insist that we get off the damned 'phone and then not talk to us?

"I'm not going to vacuum 'til Sears makes one you can ride on."

Roseanne Barr

Questions and Answers...

Q Why do men like smart women?
A Opposites attract.

Q How many men does it take to change a roll of toilet paper?
A No-one knows; it's never happened.

Q Why are men like tiled floors?
A If you lay them right the first time, you can walk all over them for 20 years.

Q Why are husbands like lawn mowers?
A They're hard to get started, emit noxious odours, and half the time they don't work.

Q How many men does it take to screw in a light bulb?
A One – he thinks that, if he just holds it there and waits, the world will revolve around him.

Q What's the difference between a new husband and a new dog?
A After a year, the dog is still excited to see you.

Questions and Answers...

Q How does a man show he's planning for the future?
A He buys two cases of beer instead of one.

Q What is a man's idea of honesty in a relationship?
A Telling you his real name.

Q What's a man's idea of foreplay?
A At least half an hour of begging.

Q Why did Moses wander in the desert for 40 years?

A Even back then, men wouldn't stop to ask for directions.

Questions and Answers...

Q What should you give a man who
has everything?
A A woman to show him
how to work it.

Q What's the smartest thing a man
can say?
A "My wife says..."

Q What's the difference between
a man and ET?
A At least ET 'phoned home.

Q What's the thinnest book in the world?
A What men know about women.

Q Why are 'blonde' jokes so short?
A So that men can remember them.

Q How do you get a man to take more exercise?
A Tie the TV remote control to his shoe-laces.

Q Why is a man's mind like a colliery railway?
A One track and dirty.

Q Why do little boys whine?
A They're practising to be men.

Remember...

Some women know more about a car and the mechanics involved than you do.

A woman who thinks the way to a man's heart is through his stomach is aiming a little too high.

Men are like computers – hard to figure out and never have enough memory.

A warning for men...

Only the frightened and the ignorant always laugh.

A woman who wants to be like a man lacks ambition.

Men who put women on pedestals rarely knock them off.

Blessed are those who hunger and thirst, for they are sticking to their diets.

20 training courses for men...

Introduction to common household objects I:
the mop.

Introduction to common household objects II:
the sponge.

Dressing up:
beyond the wedding and the funeral

Refrigeration Forensics:
Identify and remove the dead

Going to the supermarket and
coming back with food.

Accepting loss I:
If it's empty, you can throw it away.

Accepting loss II:
If the milk expired three weeks ago, keeping it in the refrigerator isn't going to bring it back.

Recycling skills I:
boxes which electrical goods come in

Recycling skills II:
styrofoam which comes in the boxes that the electrical goods came in.

Recycling skills III:
How to donate 15-year-old jeans to the charity shop.

Bathroom etiquette **I:**
removing beard clippings from the
sink and plug-hole.

Bathroom etiquette **II:**
Let's wash those towels.

Bathroom etiquette **III:**
5 ways to spot when the toilet roll
is about to run out.

Kitchen skills:
The dishes won't wash themselves, or
Knowing the limitations of your kitchenware.

Going out to dinner:
beyond MacDonald's.

Expand your **entertainment** options:
renting **movies** that are not
Action/**Adventure.**

"**I could** have **played**
a better **game** than **that!**"
or why **women** laugh

Accepting your limitations:
Just **because** you have **a tool box,** it
doesn't mean you can **fix anything.**

Adventures in housekeeping **I:**
Let's **clean** out the **wardrobe.**

Adventures in housekeeping **II:**
Let's **clean** under the **bed.**

Questions and Answers...

Q What do toilets and anniversaries have in common?

A Men tend to miss both of them.

Man to God:

God, why did you make woman so beautiful?

God to Man:

So that you would love her.

Man to God:

But, God, why did you make her so dumb?

God to Man:

So that she would love you.

Q What's the difference between men and pigs?

A Pigs don't turn into men when they've had a drink or two.

Questions and Answers...

Q How do you keep your husband from reading your e-mails?
A Rename the mail folder 'Instruction manual'.

Man: And what about my sexual persuasions?
Woman: I heard you didn't need much!
Man: Much sex?
Woman: No, much persuasion.

Q Why do men like a BMW?
A They can spell it.

Remember...

Women like a man with a past,
but they prefer a man with a present.

Stupid Boy...

A man went into a book shop
and asked the saleswoman where
the Self Help section was.

She replied:
"If I tell you that, it would defeat
the purpose."

5 ways to tell if a man is ill or not...

Take his temperature, taking care to monitor that the thermometer isn't sneaked onto a radiator or hot water bottle.

Ask him how ill he is. If he takes more than one word to tell you, he's faking. If he is really ill, he won't have the energy to create a list of spurious and agonising symptoms.

Check his diary for unpleasant meetings or dentist's appointments that he's trying to miss.

Offer to call the doctor – he'll shy away from medical corroboration that he's completely well.

Get one of his mates to ring him up and ask him down the pub. If a miraculous recovery occurs and he arises from his death bed, then you know.

Remember...

If you want to get rid of a man without hurting his pride or bruising his masculinity, simply say: "I love you. I want to marry you and have your children." In a nanosecond, you'll be choking on his dust.

Remember...

"I have yet to hear a man ask for advice on how to combine a marriage and a career."

Gloria Steinham

"Never lend your car to anyone to whom you have given birth."

Emma Bombeck

"The hardest task in a girl's life is to prove to a man that his intentions are serious."

Helen Rowland (1875-1950)

"Nagging is the repetition of unpalatable truths."

Baroness Edith Summerskill

Remember...

Men forget everything.
Women remember everything.

Some men are wise
and some are otherwise.

Traditional

"Women speak because they
wish to speak, whereas a man
speaks only when driven to speech
by something outside himself –
like, for instance,
he can't find any clean socks."

Jean Kerr

10 things that are guaranteed to annoy men...

1. Sighing heavily.

2. The word 'No'.

3. Spending ages in the ladies' loo chatting.

4. Spending ages getting ready.

5. Drumming your fingernails impatiently.

6. Saying you'll just be a minute – because you won't be.

7. Answering, "Nothing" when asked what the matter is.

8. Dithering over the map reading.

9. Leaving an obstacle course of loud, squeaky items between the front door and the bedroom when they're late in.

10. Headaches.

Remember...

If four or more men get together,
they talk about sport.
If four or more women get together,
they talk about men.

Absence makes a woman's heart
grow fonder.
Presents make the heart fonder still.

Reminder for men...

Women always have the last word in any
argument. Anything you say after that
is the beginning of a new argument.

A guide to the phrases that men use – and their real meaning...

"Let's take your car." means "My car's full of old sweet wrappers and empty beer cans."

"Take a break, darling. You're working too hard." means "I can't hear the football commentary over the vacuum cleaner."

"It would take too long to explain." means "I haven't a clue how it works."

"I missed you." means "I can't find any clean socks, the kids are hungry and we're out of toilet paper."

"I'm **going** fishing." means
"I'm going to drink myself dangerously **stupid,**
and stand by **the stream** with a **stick** in my hand
while **the fish swim** by in complete safety."

"You cook just like my mother." means
"She used a smoke detector too."

"I was listening. It's just that I've things on my mind."- like, if that red-head over there is wearing a bra.

"I got you these roses." means "The girl selling roses on the corner was a real babe."

"I can't find it." means "It didn't fall into my outstretched hands, so I'm completely clueless."

"What did I do this time?" means "What did you catch me at?"

"We share the housework." means "I make the mess, she cleans it up."

"This relationship is getting serious." means "I like you more than my car."

"Of course I like it, darling; you look beautiful." means "Oh God! What have you done to yourself?"

"We're going to be late." means "Great! Now I have an excuse to drive like a lunatic."

"Hey, I've read all the classics." means "I've been subscribing to Playboy since 1972."

10 reasons why men can never win…

Put a woman on a pedestal, try to protect her from the rat race and you'll be branded a male chauvinist.

Stay at home, do the housework and you're a pansy.

Work too hard and you're neglecting her.

Don't work enough and you're a lazy good-for-nothing.

If you keep yourself in shape, you're vain. If you don't, you're a slob.

If she has a boring, low-paid repetitive job, it's exploitation.
If you have a boring, low-paid repetitive job, you should get off your arse and find something better.

If you get a promotion ahead of her, it's favouritism.

If she has a headache, she's tired. If you have a headache, you don't love her any more.

If you buy her flowers, you're after something. If you don't, you're not thoughtful.

If you want it too often, you're oversexed. If you don't, there must be someone else.

10 important facts about men...

Men with pierced ears are better prepared for marriage – they've already experienced pain and bought jewellery.

It's ecologically-friendly to marry a divorced man – there are more women than men so it pays to recycle.

Men like 'phones with lots of buttons – it makes them feel important (if only they understood what the buttons did).

Men like to barbecue – men will cook
if danger is involved.

10 important facts about men...

If a man doesn't call, it's not because he forgot or lost your number, or died – he just didn't call.

Men like to read the newspaper first – it upsets their psyche if they don't.

Men have a higher body temperature than women. In winter, they can be treated like snoring portable heaters.

The best place to meet a man is in the dry cleaners – there's a good chance that he has a sense of personal hygiene and washes frequently.

Eyelash curlers are more effective weapons than a gun – they do rely heavily on that unpredictable thing called a man's imagination.

If he prepares dinner for you, and the salad has more than three types of lettuce in it, he's serious.

Remember...

The only problem with
the gene pool
is that there's no lifeguard.

A woman confused her valium
with her birth control pills.
She's got 14 kids
but she doesn't really care.

The perfect gift for
the girl who has everything

Penicillin.

Some good advice...

If you love something, set it free.

If it comes back,
it was and always will be yours.

If it never returns,
it was never yours in the first place.

If it just sits there in your sitting room,
messes up your stuff, eats your food,
uses your telephone, takes your money,
and never behaves as if you actually
set it free in the first place, you either

married it or gave birth to it.

How to talk to men and still be politically correct...

He doesn't have a beer gut – he has developed a liquid grain storage facility.

He isn't quiet – he is a conversational minimalist.

He isn't stupid – he's suffering from minimal cranial development.

He doesn't get continually lost – he's discovered alternative destinations.

He's not a cradle snatcher – he prefers generationally different relationships.

He doesn't get falling down drunk – he becomes accidentally horizontal.

He isn't short – he's anatomically compact.

He doesn't have a rich daddy – he is a recipient of parental asset infusion.

He doesn't have a hot body – he's physically combustible.

How to talk to men and still be politically correct...

He isn't sophisticated – he's socially challenged.

He doesn't eat like a pig – he suffers from reverse bulimia.

He isn't a sex machine – he's romantically automated.

He doesn't hog all the blankets – he's thermally unappreciative.

He's not a male chauvinist pig – he
just has swine empathy.

He doesn't undress you with his eyes – he has
an introspective pornographic moment.

He isn't afraid of commitment – he's
monogamously challenged.

He isn't bald – he's
in follicle regression.

Some husbands are living proof that
a woman can take a joke.

10 reasons why a cat is better than a man...

Its love is unconditional.

It needs feeding only once a day, and it's completely happy if you open a tin.

It doesn't take much to make it purr.

It goes out a lot, but it doesn't come in drunk and stinking.

It sleeps more than a man.

It likes it if you take a hand in its grooming.

It's self-sufficient and independent –
if you don't feed it, it dines out.

It's a better conversationalist.

It's always happy to see you when
you come home.

It doesn't give a monkey's about football.

10 things every woman should have...

The opportunity to kiss Brad Pitt, Johnny Depp, Antonio Banderas and Leonardo di Caprio at least once.

A housekeeper/cleaner/valet/cook – sort of like everything your mum was (but not your mum) who can help you decide what to wear.

Something to wear that immediately takes 10 pounds off, or puts 10 pounds on, according to your wishes.

An unending supply of chocolate.

A very rich, very old, very undemanding
sugar daddy

A toy-boy or two.

Friends to shop, lunch, gossip
and bitch with.

Enemies with lots of faults
to bitch about.

A luxury apartment in every major city in
the world, just for those little shopping trips.

A holiday home
in your idea of paradise.

10 things men need to learn not to say during tender moments...

Did I tell you my auntie Nellie died in this bed?

Maybe, on second thoughts, let's turn out the lights.

But everyone looks funny with their kit off.

But my cat always sleeps on the pillow.

Did you remember to lock the back door?

To think, I didn't even have to buy you dinner.

It's raining – I wonder if I left my sunshine roof open?

Have you seen Fatal Attraction?

That second goal – that was a honey.

Do you smell burning?

Warning for women...

You don't stop laughing because
you grow old; you grow old
because you stop laughing.

Bric 'a' brac in a woman's world...

We would take the view that,
if at first you don't succeed, see if
there's a prize for the loser.

The glances over cocktails
That seemed so sweet
Don't seem quite so amorous
Over Shredded Wheat

Anon

Sign outside a Second Hand Shop...

We exchange anything –
bicycles, washing machines, etc.
Why not bring your husband along
and get a wonderful bargain?

What is the difference between men and women?
A woman wants one man to satisfy
her every need.
A man wants every woman to satisfy
his one need.

God created man before creating woman –
you need a rough draft
before creating a masterpiece.

Remember...

Oh the gladness of a woman when she's glad.

Oh the sadness of a woman when she's sad.

But the gladness of her gladness

And the sadness of her sadness

Are as nothing to her badness when she's bad.

Anon.

"I don't like the terms 'housewife'
or 'homemaker'. I prefer to be called
'Domestic Goddess' – it's more descriptive."

Roseanne Barr

"Women have their faults; men have only two:
Everything they say. Everything they do."

Anon

A winner

A woman RUSHED INTO her house and yelled to her husband: "JIMMY, pack your things. I've just WON the NATIONAL LOTTERY!"

Jimmy replied: "FANTASTIC! Where are we going? Somewhere WARM or SOMEWHERE COLD?"

She responded: "I DON'T CARE – just so LONG AS YOU'RE OUT OF HERE BY NOON."

The Independent Princess

Once UPON A TIME,
In a LAND FAR away,
A beautiful, INDEPENDENT,
SELF-ASSURED princess
Happened on a frog,

As she sat
CONTEMPLATING ecological issues
On the shores of an UNPOLLUTED pond
In a VERDANT meadow
Near her castle.

The frog HOPPED into the princess' lap
And said: ELEGANT Lady
I WAS ONCE a handsome prince,
Until an evil witch CAST A SPELL upon me.

ONE KISS from you, however,

And I will TURN BACK

Into the DAPPER young prince that I am.

And forever feel GRATEFUL and happy doing so.

And then, MY SWEET, we can marry

And set up home TOGETHER in yon castle

With my mother,

And you CAN PREPARE my meals

CLEAN my clothes,

Bear my CHILDREN

And forever FEEL GRATEFUL and happy doing so.

That night,

As the PRINCESS dined sumptuously

On a repast of LIGHTLY-SAUTEED frogs' legs

Seasoned in a WHITE WINE

And ONION CREAM sauce,

She chuckled to herself:

"I DON'T THINK SO."

Great putdowns of our time...

Man: Haven't we met before?

Woman: Yes, I'm the receptionist at the VD clinic.

Man: So, you want to come back to my place?

Woman: Well, I'm not sure – will two people fit under a rock?

Man: I'd like to call you – what's your number?

Woman: It's in the 'phone book.

Man: But I don't know your name.

Woman: That's in the 'phone book, too.

Man: So, what do you do for a living?
Woman: Female impersonator.

10 Golden Rules for Women…

Never do housework. No man made love to a woman because her house was spotless.

Don't imagine you can change your man – unless he's in nappies.

Know what to do if your man walks out – shut the door after him.

Never let a man's mind wander – it's too little to be let out on its own.

Remember all men are the same – they just have different faces so you can tell them apart.

Go for younger men – men never mature anyway.

Remember, women don't need to make fools of men – most of them can do it on their own.

The best way to get a man to do something is to suggest that he is too old for it.

Remember, love is blind – and marriage is a real eye-opener.

If you want a committed man, look in a mental hospital.

Questions and Answers...

Q What's the difference between men and Government bonds?
A Bonds mature.

Q Why are men like blenders?
A You need one, but you're not quite sure why.

Q Why do black widow spiders kill their males after mating?
A To stop the snoring before it starts.

Q Why does it take 100 million sperm to fertilise one egg?

A Because none of them will stop to ask directions.

Questions and Answers....

Q What's the difference between a man
and childbirth?
A One can be terribly painful and
sometimes almost unbearable while the
other is just having a baby.

Man: What do you think of marriage
as an institution?
Woman: I think it's fine for people
who like living in institutions.

Q Why do men need instant replay on TV sports?
A Because, after 30 seconds, they
forget what happened.

Mother always said...

Never trust a man
    with just one long eyebrow.

Never employ an ugly nanny,
    as your children will
        end up looking like her.

Never love for money;
        love where money is.

Never trust a man who doesn't close
    his eyes when he kisses you.

Would you believe it?..

In the Garden of Eden, Eve called out to the skies,
"Oh, Lord, I have a problem."

"What's the matter, Eve?"

"I know you created me and this beautiful garden,
but I'm lonely."

"Well, in that case,"declared the Almighty,
"I'll create a MAN for you."

"What's a man?" asked Eve.

"He's a FLAWED CREATURE with AGGRESSIVE
tendencies, an ENORMOUS EGO and an INABILITY
to listen, but he's big and fast and muscular.
He'll be really good at fighting and kicking a ball
and hunting animals – and not bad in the sack."

"That sounds acceptable – well, better than nothing."

"There's just one condition," added the Lord.

"You'll have to let HIM believe I made HIM FIRST."

Remember...

...that a **passionate kiss** is like a
spider's web;
it leads to **the undoing** of flies.

Proof that there's **no such thing** as a good man:

All **single** women complain
that all the **good men** are married.
All **married** women complain
about their **lousy** husbands.

What's a **man's** best **friend?**
A dog.
What's a **woman's** best **friend?**
Diamonds.

10 things only women understand...

The need to buy the same shoes in different colours.

The need for fat clothes.

The difference between ecru, beige and off-white.

The different expressions on a cat's face.

The importance of cutting your fringe to make it grow.

The importance of taking a
car journey
without trying to beat your last
best time.

The inaccuracy of every make of
bathroom scales.

The response to romantic stuff like
flowers and cards.

The fact that bean sprouts aren't weeds.

Other women.

A reminder for women:

Stressed
spelt backwards
is desserts.

A-Z BARNSLEY

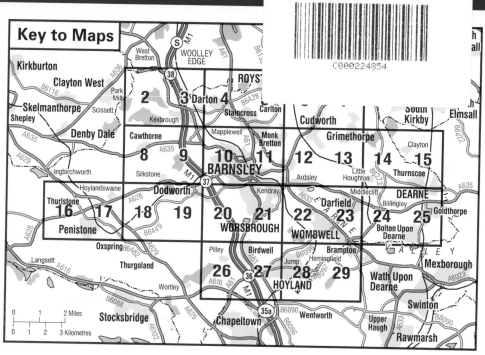

Key to Maps

Kirkburton, Clayton West, Skelmanthorpe, Shepley, Scissett, Denby Dale, Ingbirchworth, Hoylandswaine, Thurlstone, Penistone, Oxspring, Langsett, Thurgoland, Stocksbridge, Chapeltown, West Bretton, WOOLLEY EDGE, Park Mill, Kexbrough, Cawthorne, Silkstone, Dodworth, Thurgoland, Wortley, ROYST, Darton, Staincross, Mapplewell, BARNSLEY, WORSBROUGH, Pilley, Birdwell, HOYLAND, Carlton, Monk Bretton, Kendray, Ardsley, WOMBWELL, Jump, Hemingfield, Brampton, Wentworth, Cudworth, Grimethorpe, Little Houghton, Darfield, Middlecliff, Billingley, Bolton Upon Dearne, Wath Upon Dearne, Upper Haugh, South Kirkby, Elmsall, Clayton, Thurnscoe, DEARNE, Goldthorpe, Mexborough, Swinton, Rawmarsh

38 S M1 A61
2 3 4
8 9 10 11 12 13 14 15
16 17 18 19 20 21 22 23 24 25
26 27 28 29
35a 36 37

0 1 2 Miles
0 1 2 3 Kilometres

Reference

Motorway	**M1**	
A Road	**A61**	
Under Construction		
Proposed		
B Road	**B6449**	
Dual Carriageway		
One Way A Roads		
Traffic flow is indicated by a heavy line on the Drivers left.		
Pedestrianized Road		
Restricted Access		

Track	:=====:
Footpath	------
Residential Walkway	....
Railway	Level Crossing / Station
Built Up Area	BAKER ST.
Local Auth. Boundary	— · — ·
Posttown Boundary	
By arrangement with the Post Office	
Postcode Boundary	
Within Posttown	
Map Continuation	▲ 12

Ambulance Station	✚
Car Park	P
Church or Chapel	†
Fire Station	■
Hospital	H
House Numbers	246 / 213
A & B Roads only	
Information Centre	i
National Grid Reference	⁴35
Police Station	▲
Post Office	★
Toilet	▽
With Facilities for the Disabled	♿

Scale

1:19,000
3.33 Inches to 1 Mile

0   ¼   ½   ¾ Mile
0   250   500   750 Metres   1 Kilometre

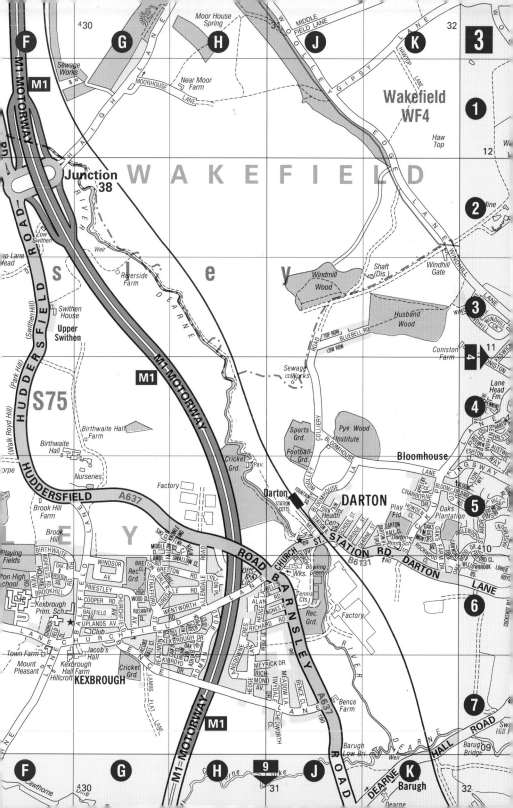

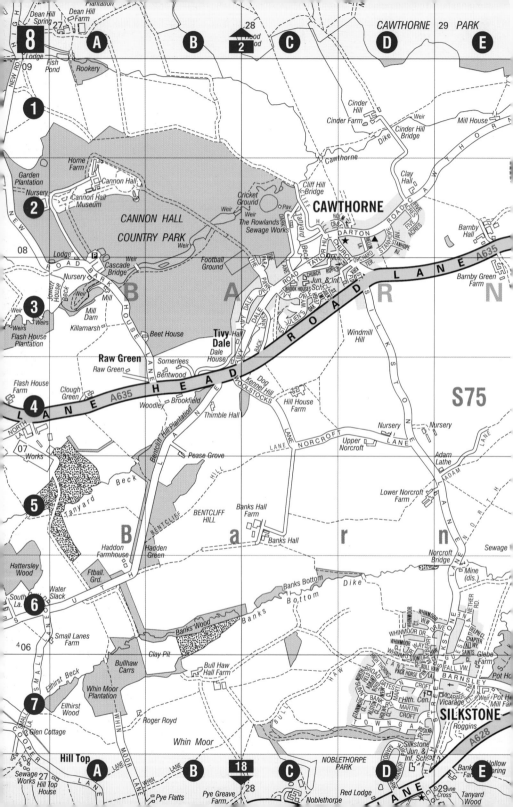

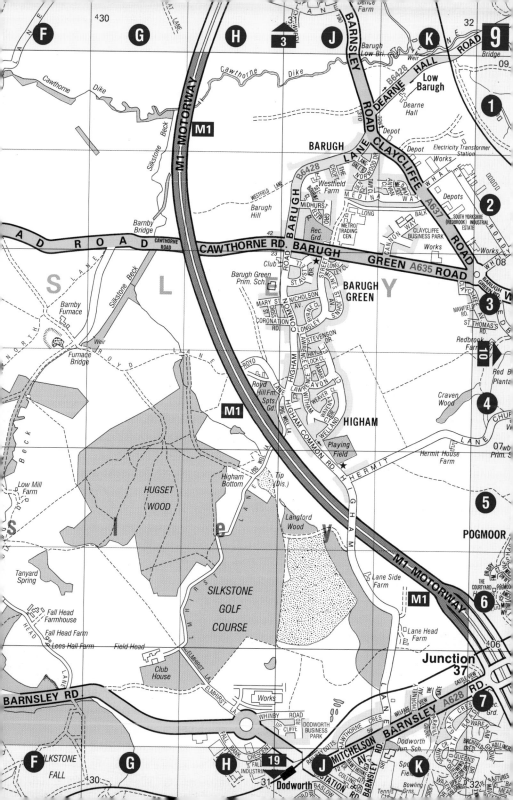

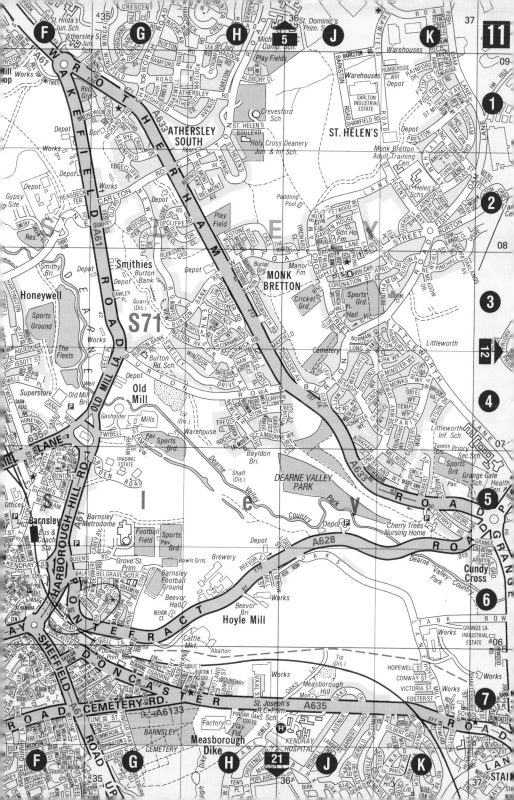

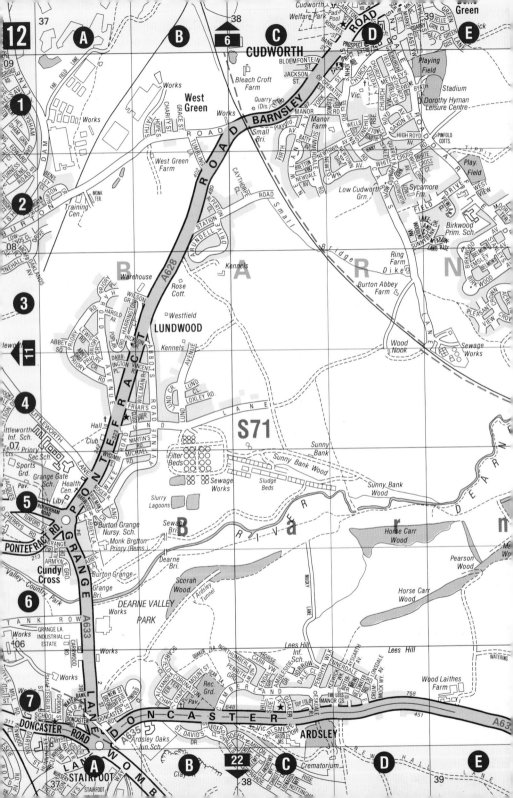

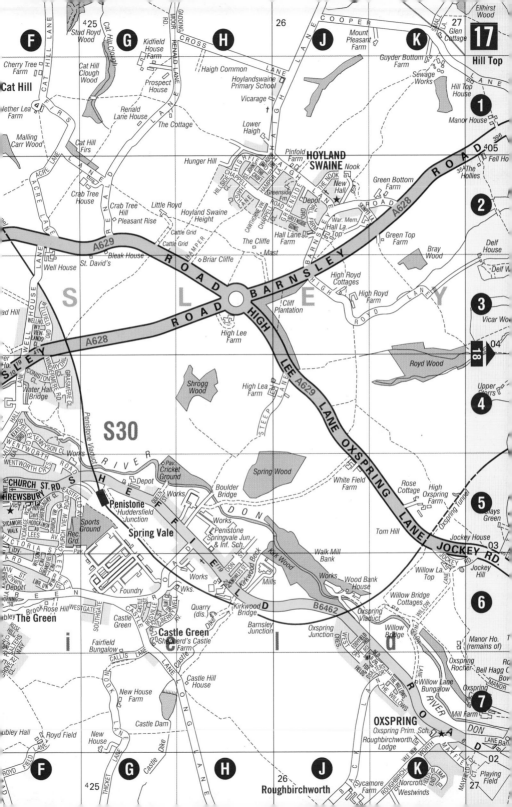

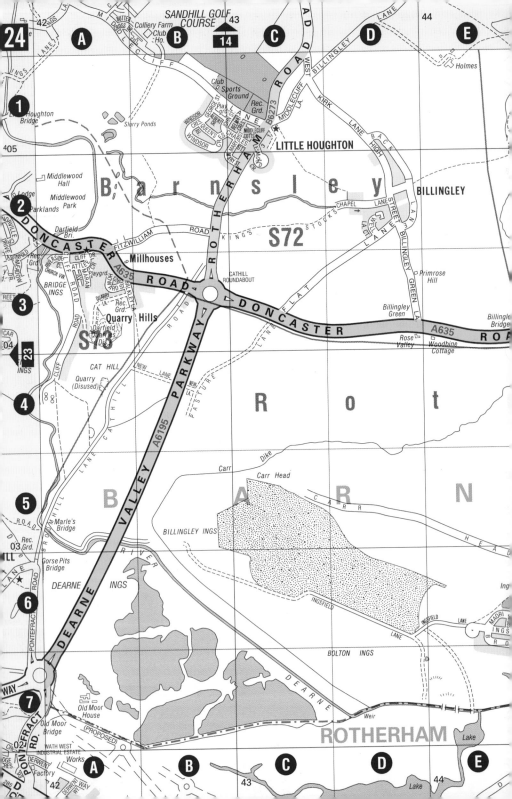

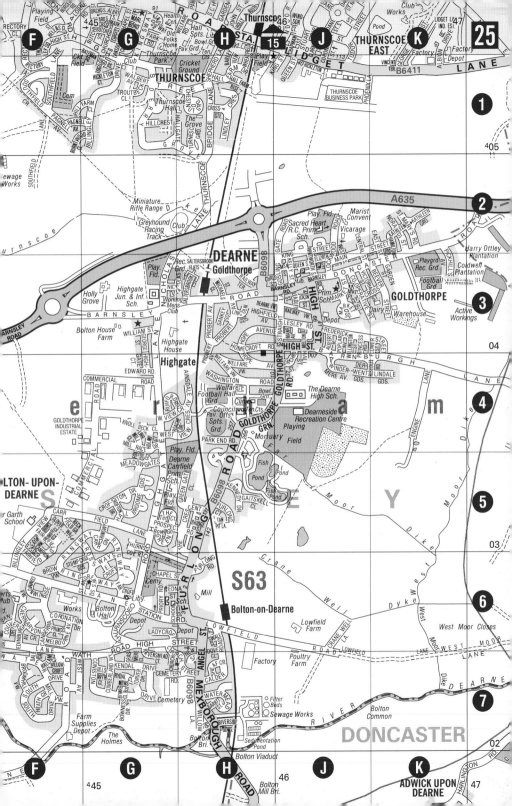

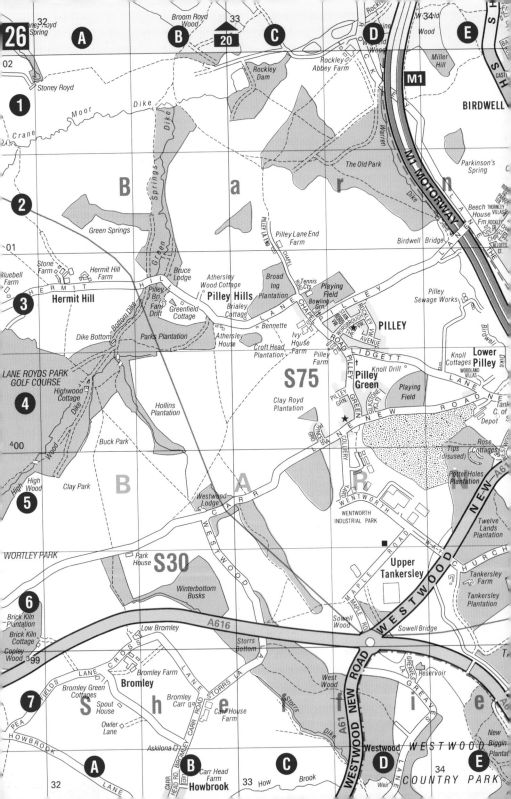

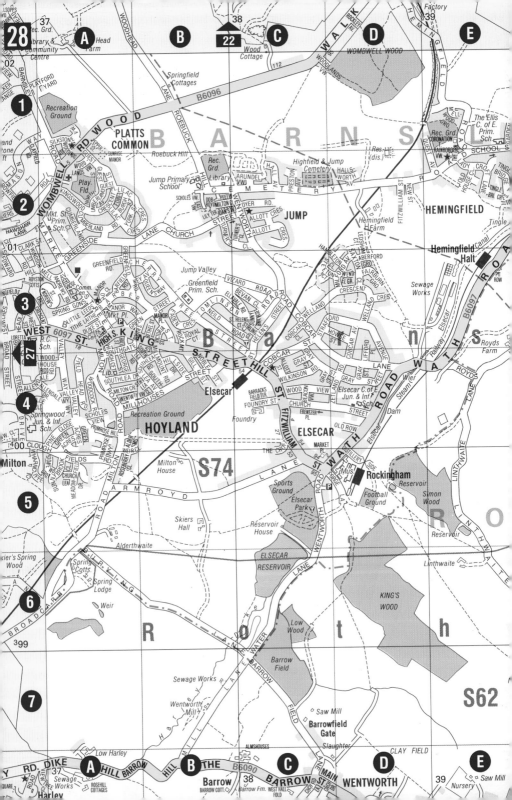

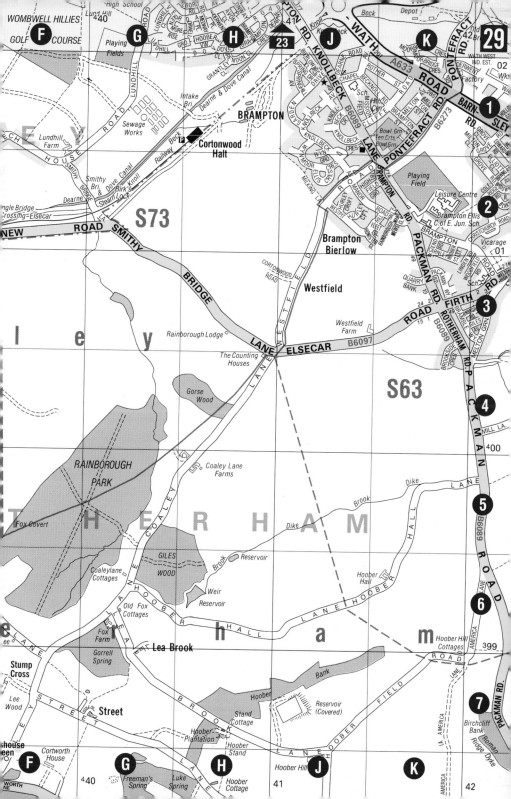

INDEX TO STREETS

HOW TO USE THIS INDEX

1. Each street name is followed by its Posttown or Postal Locality and then by its map reference; e.g. Abbots Rd. *Barn* —4B **12** is in the Barnsley Posttown and is to be found in square 4B on page **12**. The page number being shown in bold type.
A strict alphabetical order is followed in which Av., Rd., St., etc. (though abbreviated) are read in full and as part of the street name; e.g. Allotts Ct. appears after Allott Cres. but before Allott St.

2. Streets and a selection of Subsidiary names not shown on the Maps, appear in the index in *Italics* with the thoroughfare to which it is connected shown in brackets; e.g. *Bethel Sq. Hoy* —3B **28** (off Bethel St.)

GENERAL ABBREVIATIONS

All : Alley
App : Approach
Arc : Arcade
Av : Avenue
Bk : Back
Boulevd : Boulevard
Bri : Bridge
B'way : Broadway
Bldgs : Buildings
Bus : Business
Cen : Centre
Chu : Church
Chyd : Churchyard
Circ : Circle
Cir : Circus

Clo : Close
Comn : Common
Cotts : Cottages
Ct : Court
Cres : Crescent
Dri : Drive
E : East
Embkmt : Embankment
Est : Estate
Gdns : Gardens
Ga : Gate
Gt : Great
Grn : Green
Gro : Grove
Ho : House

Ind : Industrial
Junct : Junction
La : Lane
Lit : Little
Lwr : Lower
Mnr : Manor
Mans : Mansions
Mkt : Market
M : Mews
Mt : Mount
N : North
Pal : Palace
Pde : Parade
Pk : Park
Pas : Passage

Pl : Place
Rd : Road
S : South
Sq : Square
Sta : Station
St : Street
Ter : Terrace
Up : Upper
Vs : Villas
Wlk : Walk
W : West
Yd : Yard

POSTTOWN AND POSTAL LOCALITY ABBREVIATIONS

Ard : Ardsley
Barn : Barnsley
Bar H : Barrow Hill
B Grn : Barugh Green
Bil : Billingley
Bird : Birdwell
B Hill : Blacker Hill
Bolt D : Bolton-upon-Dearne
Brmp : Brampton
Brmp B : Brampton Bierlow
Brier : Brierley
Carl : Carlton
Caw : Cawthorn
Clay : Clayton
Clay W : Clayton West
Cub : Cubley
Cud : Cudworth
Darf : Darfield

Dart : Darton
Dod : Dodworth
Els : Elsecar
Gaw : Gawber
Gold : Goldthorpe
Gt H : Great Houghton
Grime : Grimethorpe
Haig : Haigh
Har : Harley
Harl : Harlington
Hem : Hemingfield
Hems : Hemsworth
H Grn : High Green
Hghm : Higham
H Hoy : High Hoyland
Hoob : Hoober
Hood G : Hood Green
Hoy : Hoyland

Hoy S : Hoyland Swaine
Ing : Ingbirchworth
Jump : Jump
King : Kingston
Lit H : Little Houghton
Low V : Low Valley
Lun : Lundwood
Map : Mapplewell
Mil G : Millhouse Green
Monk B : Monk Bretton
New L : New Lodge
Not : Notton
Oug : Oughtibridge
Oxs : Oxspring
Pen : Penistone
Raw : Rawmarsh
Roys : Royston
Shaf : Shafton

Silk : Silkstone
Silk C : Silkstone Common
S Hien : South Hiendley
S'boro : Stainborough
Stair : Stairfoot
Swai : Swaithe
Tank : Tankersley
Thurg : Thurgoland
Thurl : Thurlstone
Thurn : Thurnscoe
Wath D : Wath-upon-Dearne
Wen : Wentworth
Wom : Wombwell
Wool : Woolley
Wors : Worsbrough
Wors B : Worsbrough Bridge
Wors C : Worsbrough Common
Wors D : Worsbrough Dale

INDEX TO STREETS

Abbey Grn. *Dod* —2A **20**
Abbey Gro. *Lun* —4A **12**
Abbey La. *Barn* —6A **12**
Abbey Sq. *Barn* —3A **12**
Abbot La. *Wool* —1B **4**
Abbots Rd. *Barn* —4B **12**
Aberford Gro. *Els* —3D **28**
Acacia Gro. *Shaf* —4E **6**
Acorn Cen., The. *Grime* —1J **13**
Acre La. *Pen* —2F **17**
Acre Rd. *Cud* —3E **12**
Adam La. *Silk* —5E **8**
Adkin Royd. *Silk* —7D **8**
Agnes Rd. *Barn* —7E **10**
Agnes Rd. *Dart* —6J **3**
Agnes Ter. *Barn* —7E **10**
Ainsdale Av. *Gold* —4H **25**
Ainsdale Clo. *Roys* —1H **5**
Ainsdale Ct. *Barn* —2K **11**
Ainsdale Rd. *Roys* —1H **5**
Airedale Rd. *Barn* —5E **10**
Aireton Rd. *Barn* —5E **10**
Alan Rd. *Dart* —6H **3**
Alba Clo. *Darf* —2G **23**
Albany Clo. *Wom* —2C **22**
Albert Cres. *Lit H* —1B **24**
Albert Rd. *Gold* —3J **25**
Albert St. *Barn* —6F **11**
Albert St. *Thurn* —7G **15**
Albert St. E. *Barn* —6F **11**
Albion St. *Thurn* —1K **25**
Albion Ho. *Barn* —7F **11**
Albion Rd. *Barn* —7J **5**
Albion Ter. *Barn* —7G **11**
Aldbury Clo. *Barn* —1H **11**
Alder Clo. *Map* —5A **4**
Alder Gro. *Darf* —4H **23**
Alder M. *Hoy* —4A **28**
Alderson Dri. *Barn* —1G **11**
Aldham Cotts. *Wom* —3E **22**

Aldham Cres. *Wom* —2C **22**
Aldham Ho. La. *Wom* —4D **22**
Aldham Ind. Est. *Wom* —3E **22**
Alexandra Ter. *Barn* —7B **12**
Alfred St. *Roys* —2A **6**
Alhambra Shopping Cen. *Barn* —6F **11**
Allatt Clo. *Barn* —7F **11**
Allendale. *Wors* —3J **21**
Allendale Ct. *Wors* —3J **21**
Allendale Dri. *Hoy* —4K **27**
Allendale Rd. *Barn* —3E **10**
Allendale Rd. *Dart* —6H **3**
Allendale Rd. *Hoy* —4K **27**
Allott Cres. *Jump* —2C **28**
Allotts Ct. *Bird* —2E **26**
Allott St. *Els* —4C **28**
Allott St. *Hoy* —4H **27**
All Saints Clo. *Silk* —6E **8**
Allsopps Yd. *B Hill* —7K **21**
Alma St. *Barn* —6D **10**
Alma St. *Wom* —6F **23**
Almond Av. *Cud* —7D **6**
Almshouses. *Raw* —7C **28**
Alperton Clo. *Barn* —2B **12**
Alric Dri. *Barn* —5A **12**
Alston Clo. *Silk* —7D **8**
Alton Way. *Map* —5A **4**
Amalfi Clo. *Darf* —3H **23**
Ambleside Gro. *Barn* —7C **12**
America La. *Hoob & Wath D* —7K **3**
Ancona Rise. *Darf* —3H **23**
Ancote Clo. *Barn* —6A **10**
Angel St. *Bolt D* —7H **25**
Annan Clo. *Barn* —2K **9**
Anne Cres. *S Hien* —1G **7**
Appleby Dri. *Barn* —5K **3**
Applehaigh Gro. *Roys* —2G **5**
Applehaigh La. *Not* —1G **5**
Applehaigh View. *Roys* —2G **5**
Appleton Way. *Wors* —3G **21**
April Clo. *Barn* —3K **11**

April Dri. *Barn* —3K **11**
Aqueduct St. *Barn* —4F **11**
Arcade, The. *Barn* —6F **11**
Ardsley M. *Barn* —7C **12**
Ardsley Rd. *Wors* —3J **21**
Armroyd La. *Els* —5A **28**
Armyne Gro. *Barn* —6A **12**
Army Row. *Roys* —2K **5**
Arncliffe Dri. *Barn* —7B **10**
Arnold Av. *Barn* —7F **5**
Arthur St. *Wors* —3G **21**
Arundell Dri. *Barn* —2B **12**
Arundel View. *Jump* —2C **28**
Ashberry Clo. *Thurn* —7H **15**
Ashbourne Rd. *Barn* —7G **5**
Ashby St. *Barn* —7D **10**
Ash Cotts. *Wom* —2C **22**
Ash Dyke Clo. *Dart* —7H **3**
Ashfield Clo. *Barn* —4C **10**
Ashfield Ct. *Stair* —7K **11**
Ash Gro. *Barn* —1K **21**
Ashleigh. *Brier* —3J **7**
Ashley Croft. *Roys* —2H **5**
Ash Mt. *Shaf* —2E **6**
Ashover Clo. *Wors* —4G **21**
Ash Rd. *Shaf* —4F **7**
Ash Row. *Barn* —6J **11**
Ash St. *Wom* —2C **22**
Ashwell Clo. *Shaf* —3E **6**
Ashwood Clo. *Wors* —4H **21**
Ashwood Cres. *Bil* —4H **8**
Aspen Gro. *Darf* —4J **23**
Aston Dri. *Barn* —1G **11**
Athersley Cres. *Barn* —1G **11**
Athersley Rd. *Barn* —1G **11**
Attlee Cres. *Darf* —3A **24**
Austick Clo. *Map* —4A **4**
Austwick Wlk. *Barn* —5D **10**
Avenue, The. *Roys* —2A **6**
Avenue, The. *Tank* —3D **26**
Avon Clo. *Hghm* —4J **9**

Avon Clo. *Wom* —7H **23**
Avondale Dri. *Barn* —5J **5**
Avon St. *Barn* —6G **11**
Aylesford Clo. *Barn* —4F **11**
Aysgarth Av. *Barn* —7D **12**

Back La. *Barn* —2J **11**
Back La. *Bil* —1D **24**
Back La. *Caw* —3C **8**
Back La. *Clay* —3G **15**
Back La. *Oxs* —7J **17**
Back La. W. *Roys* —2G **5**
Bk. Poplar Ter. *Roys* —2A **6**
Baden St. *Barn* —4H **21**
Badsworth Clo. *Wom* —6H **23**
Bagger Wood Hill. *Hood G* —5H **19**
Bagger Wood Rd. *Thurg & Hood G* —7G **19**
Bainton Dri. *Barn* —1D **20**
Bakehouse La. *Barn* —4A **10**
Baker St. *Barn* —6F **11**
Bakewell Rd. *Barn* —1G **11**
Bala St. *Barn* —6F **11**
Balk La. *Bird* —7E **20**
Balkley La. *Darf* —3A **24**
Balk, The. *Map* —4C **4**
Ballfield Av. *Dart* —6G **3**
Ballfield La. *Dart* —6G **3**
Balmoral Clo. *Thurl* —4C **16**
Bamford Av. *Barn* —3J **21**
Bamford Clo. *Dod* —1J **19**
Bank End Av. *Wors* —3J **21**
Bank End La. *H Hoy* —6A **2**
Bank End Rd. *Wors* —3H **21**
Bank Ho. La. *Thurl* —6B **16**
Bank St. *Barn* —1F **21**
Bank St. *Cud* —7D **6**
Bank St. *Hoy* —4K **27**
Bank St. *Stair* —7A **12**
Bar Av. *Map* —6D **4**

30 A-Z Barnsley

Barber St. *Hoy* —3A **28**
Barden Dri. *Barn* —4B **10**
Barewell Hill. *Brier* —2J **7**
Barfield Rd. *Hoy* —3A **28**
Bari Clo. *Darf* —2G **23**
Bark Ho. La. *Caw* —3A **8**
Bark Meadow. *Dod* —1A **20**
Barkston Rd. *Barn* —1J **11**
Bar La. *Map* —6D **4**
Barlborough Rd. *Wom* —7G **23**
Barley View. *Thurn* —1H **25**
Barnabas Wlk. *Barn* —4F **11**
Barnburgh La. *Gold* —4J **25**
Barnside Clo. *Pen* —6F **17**
Barnsley Bus. & Innovation Cen. *Barn*
　—3B **10**
Barnsley Rd. *Brier* —3G **7**
Barnsley Rd. *Cud* —1C **12**
Barnsley Rd. *Darf* —1H **23**
Barnsley Rd. *Dart & B Grn* —6J **3**
Barnsley Rd. *Dod* —7K **9**
Barnsley Rd. *Gold* —3F **25**
Barnsley Rd. *Hoy* —1K **27**
Barnsley Rd. *Hoy & Hoy S* —4E **16**
Barnsley Rd. *Silk* —7E **8**
(in two parts)
Barnsley Rd. *Wath D* —1K **29**
Barnsley Rd. *Wom* —3D **22**
(in three parts)
Barnsley Rd. *Wool* —1C **4**
Barnsley Western Rf. Rd. *Barn*
　—6E **10**
Barnwell Cres. *Wom* —3D **22**
Barracks Field Ter. *Hoy* —4C **28**
Barrow Field La. *Wom* —7C **28**
Barrowfield Rd. *Hoy* —2K **27**
Barrow Hill. *Harl* —7A **28**
Barrow, The. *Bar H* —7B **28**
Bartholomew St. *Wom* —5E **22**
Barton Av. *Barn* —5F **5**
Barugh Grn. Rd. *B Grn & Barn* —2J **9**
Barugh La. *B Grn* —2J **9**
Basildon Rd. *Thurn* —6G **15**
Baslow Cres. *Dod* —1J **19**
Baslow Rd. *Barn* —7H **5**
Bateman Clo. *Cud* —4C **6**
Bateman Sq. *Thurn* —7G **15**
Batty Av. *Cud* —1C **12**
Baycliff Clo. *Barn* —1K **11**
Beacon Av. *Silk C* —2E **18**
Beacon Ct. *Silk C* —2E **18**
Beacon Hill. *Silk C* —2E **18**
Beaconsfield St. *Barn* —7E **10**
Beacon View. *Els* —4C **28**
Beaumont Av. *Barn* —6B **10**
Beaumont Rd. *Dart* —7G **3**
Beaumont St. *Hoy* —4H **27**
Beckett Hospital Ter. *Barn* —7F **11**
Beckett St. *Barn* —5F **11**
Beckfield Gro. *Bolt D* —5F **25**
Becknoll Rd. *Brmp* —1J **29**
Bedale Wlk. *Shaf* —3E **6**
Bedford St. *Barn* —1F **21**
Bedford St. *Grime* —2J **13**
Bedford Ter. *Barn* —2G **11**
Beech Av. *Cud* —6D **6**
Beech Av. *Silk C* —3E **18**
Beech Clo. *Brier* —3J **7**
Beech Clo. *Hem* —1F **29**
Beech Ct. *Darf* —3J **23**
Beech Gro. *Barn* —6F **5**
Beech Ho. Rd. *Hem* —1F **29**
Beech Rd. *Shaf* —4F **7**
Beech St. *Barn* —7F **11**
Beeston Sq. *Barn* —6F **5**
Beever La. *Barn* —4A **10**
Beever St. *Gold* —3K **25**
Beevor Clo. *Barn* —6G **11**
Beevor St. *Barn* —6H **11**
Belgrave Rd. *Barn* —6G **11**
Bell Bank View. *Wors* —3F **21**
Bellbank Way. *Barn* —6F **5**
Bellbrooke Pl. *Darf* —1H **23**
Bellbrooke Pl. *Darf* —1H **23**
Belle Grn. Clo. *Cud* —7E **6**
Belle Grn. Gdns. *Cud* —7E **6**
Belle Grn. La. *Cud* —7E **6**
Bellwood Cres. *Hoy* —4J **27**
Belmont. *Cud* —3E **12**
Belmont Av. *Barn* —2H **11**
Belmont Cres. *Lit H* —1H **5**
Belvedere Dri. *Shaf* —4E **6**
Belvedere Dri. *Darf* —1H **23**

Ben Bank Rd. *Silk C* —3E **18**
Bence Clo. *Dart* —7J **3**
Bence La. *Dart* —6G **3**
Bentcliff Hill La. *Silk* —5B **8**
Bentham Dri. *Barn* —3K **11**
Bentham Way. *Map* —4A **4**
Bentley Clo. *Barn* —2A **12**
Bent St. *Pen* —4E **16**
Berkeley Croft. *Roys* —2H **5**
Berkley Clo. *Wors* —3F **21**
Berneslai Clo. *Barn* —5E **10**
Berrydale. *Wors* —3H **21**
Berrywell Av. *Pen* —6G **17**
Bethel Sq. *Hoy* —3B **28**
(off Bethel St.)
Bethel St. *Hoy* —3B **28**
Bevan Clo. *Els* —3C **28**
Beverley Av. *Wors* —3F **21**
Beverley Clo. *Barn* —7E **4**
Bewdley Ct. *Roys* —2K **5**
Bierlow Clo. *Brmp* —1J **29**
Billingley Dri. *Thurn* —1G **15**
Billingley Grn. La. *Bil* —2D **24**
Billingley La. *Lit H* —1D **24**
Billingley View. *Bolt D* —6F **25**
Bingley St. *Barn* —5D **10**
Biram Wlk. *Hoy* —5D **28**
(off Forge La.)
Birchfield Cres. *Dod* —7A **10**
Birchfield Wlk. *Barn* —5B **10**
Birch Rd. *Barn* —1K **21**
Bird Av. *Wom* —6E **22**
Bird La. *Clay* —1H **5**
Bird La. *Oxs* —6B **18**
Birdwell Comn. *Bird* —3F **27**
Birdwell Rd. *Dod* —2B **20**
Birk Av. *Barn* —1J **21**
Birk Cres. *Barn* —1J **21**
Birkdale Rd. *Roys* —1H **5**
Birk Grn. *Barn* —1K **21**
Birk Ho. La. *Barn* —1K **21**
Birk Rd. *Barn* —1J **21**
Birks Av. *Mil G* —5A **16**
Birks La. *Mil G* —5A **16**
Birk Ter. *Barn* —1J **21**
Birkwood Av. *Cud* —3E **12**
Birthwaite Rd. *Dart* —5F **3**
Bishops Way. *Barn* —4J **11**
Bisley Clo. *Roys* —3A **6**
Bismarck St. *Barn* —1F **21**
Blackburn La. *Barn* —5D **10**
Blackburn La. *Wors* —3G **21**
Blackburn St. *Wors* —3G **21**
Blacker Grange. *Hoy* —1K **27**
Blacker Grn. La. *Silk C* —3C **18**
Blacker La. *Shaf* —3E **6**
Blacker Rd. *Map* —5C **4**
Blackheath Clo. *Barn* —7H **5**
Blackheath Rd. *Barn* —7H **5**
Blackheath Wlk. *Barn* —7H **5**
Black Horse Clo. *Silk C* —3E **18**
Black Horse Dri. *Silk C* —3E **18**
Black La. *Hoy* —5F **27**
(in two parts)
Blacksmith Sq. *Hoy* —5D **28**
(off Forge La.)
Blakeley Clo. *Barn* —7H **5**
Bleachcroft Way. *Barn* —1A **22**
Bleak Av. *Shaf* —4E **6**
Bleakley Av. *Not* —1H **5**
Bleakley Clo. *Not* —4E **6**
Bleakley La. *Not* —1H **5**
Bleakley Ter. *Not* —1H **5**
Bleasdale Gro. *Barn* —3G **11**
Blenheim Av. *Barn* —7E **10**
Blenheim Gro. *Barn* —7D **10**
Blenheim Rd. *Barn* —1D **20**
Bloemfontein St. *Cud* —1C **12**
Bloomfield Rise. *Dart* —5K **3**
Bloomfield Rd. *Dart* —5K **3**
Bloomhouse La. *Dart* —5J **3**
Blucher St. *Barn* —6E **10**
Bluebell Clo. *Pen* —5E **16**
Bluebell Rd. *Dart* —3J **3**
Blundell Ct. *Barn* —2K **11**
Bly Rd. *Darf* —2H **23**
Blythe St. *Wom* —5E **22**
Bodmin Ct. *Barn* —4H **11**
Boggard La. *Pen* —6E **16**
Bole Clo. *Low V* —4H **23**
Bondfield Cres. *Wom* —6E **22**

Bond Rd. *Barn* —4D **10**
Bond St. *Wom* —5F **23**
Booth St. *Hoy* —3A **28**
Borrowdale Clo. *Barn* —7C **12**
Bosville St. *Pen* —6G **17**
Boswell Clo. *Roys* —2H **5**
Boulder Bri. Rd. *Roys* —4A **6**
Boundary Dri. *Brier* —3J **7**
Boundary St. *Barn* —7H **11**
Bourne Ct. *Map* —4C **4**
Bourne Rd. *Barn* —4F **21**
Bourne Wlk. *Map* —4C **4**
Bowden Gro. *Dod* —1K **19**
Bower Hill. *Oxs* —7A **18**
Bowfell View. *Barn* —3G **11**
Bowland Cres. *Wors* —4F **21**
Bowness Dri. *Bolt D* —7G **25**
Bow St. *Cud* —7D **6**
Bradberry Balk La. *Wom* —4E **22**
Bradbury St. *Barn* —6D **10**
Bradley Av. *Wom* —5E **22**
Bradshaw Clo. *Barn* —5A **10**
Bradwell Av. *Dod* —2A **20**
Braithwaite St. *Map* —5C **4**
Bramah St. *Barn* —5J **5**
Bramble Way. *Wath D* —3K **29**
Bramcote Av. *Barn* —6E **4**
Brampton Cres. *Wom* —7H **23**
Brampton Rd. *Wath D* —2K **29**
Brampton Rd. *Wom* —7H **23**
Brampton St. *Brmp* —1K **29**
Brampton View. *Wom* —7H **23**
Branksome Av. *Barn* —6C **10**
Brendon Clo. *Wom* —1H **29**
Brentwood Clo. *Hoy* —5J **27**
Bretton Clo. *Dod* —6G **3**
Bretton Rd. *Dart* —6G **3**
Bretton View. *Cud* —2C **12**
Briar Gro. *Brier* —3J **7**
Briar Rise. *Wors* —4G **21**
Brickyard, The. *Shaf* —5E **6**
Bridge Gdns. *Barn* —4F **11**
Bridge La. *Barn* —5F **11**
Bridge St. *Bolt D* —5H **25**
Bridge St. *Dart* —5J **3**
Bridge St. *Pen* —4E **16**
Brierfield Clo. *Barn* —5C **10**
Brierley Rd. *Brier* —1F **7**
Brierley Rd. *Grime* —6H **7**
Brierley Rd. *Shaf* —4F **7**
Brierley Rd. *S Hien* —1F **7**
Briggs St. *Barn* —7F **11**
Brighton St. *Grime* —7J **7**
Brinckman St. *Barn* —7F **11**
Britannia Clo. *Barn* —7F **11**
Britannia Ho. *Barn* —7F **11**
Britland Clo. *Barn* —5A **10**
Briton Sq. *Thurn* —6J **15**
Briton St. *Thurn* —6J **15**
Broadcarr Rd. *Hoy* —7K **27**
Broad Gates. *Silk* —7D **8**
Broad St. *Hoy* —3K **27**
Broadwater. *Bolt D* —6E **24**
Broadway. *Barn* —6B **10**
Broadway. *Map* —5B **4**
Broadway Ct. *Barn* —6B **10**
Brockfield Clo. *Wors* —3G **21**
Brock Holes La. *Pen* —7C **16**
Brocklehurst Av. *Barn* —3K **11**
Bromfield Ct. *Roys* —2K **5**
Bromley Carr Rd. *H Grn* —7B **26**
Bronte Clo. *Barn* —4H **11**
Brooke St. *Hoy* —3K **27**
Brookfield Ter. *Barn* —6J **5**
Brookhill Rd. *Dart* —6F **3**
Brook Houses. *Caw* —3C **8**
Brookside Cres. *Wath D* —4K **29**
Brookside Dri. *Barn* —2K **21**
Brookvale. *Barn* —4K **11**
Broom Clo. *Barn* —2A **12**
Broom Clo. *Bolt D* —5F **25**
Broomcroft. *Dod* —2B **20**
Broomfield Clo. *Barn* —7B **10**
Broomhead Ct. *Map* —6B **4**
Broomhead Rd. *Wom* —7H **23**
Broomhill La. *Bolt D* —5A **24**
Broomhill View. *Bolt D* —7F **25**
Broomroyd. *Wors* —4H **21**
Brough Grn. *Dod* —3B **20**
Brow Clo. *Wors* —2F **21**
Browning Clo. *Barn* —4H **11**
Browning Rd. *Wath D* —2K **29**
Brownroyd Av. *Roys* —4J **5**

Brow View. *Bolt D* —6F **25**
Bruce Av. *Barn* —1F **21**
Brunswick Clo. *Barn* —1F **11**
Brunswick St. *Thurn* —6K **15**
Buckden Rd. *Barn* —5D **10**
Buckingham Way. *Roys* —2H **5**
Buckley Ct. *Barn* —7F **11**
Buckley Ho. *Barn* —7F **11**
Bude Ct. *Barn* —4J **11**
Bull Haw La. *Silk* —7C **8**
Burcroft Clo. *Hoy* —4H **27**
Burleigh St. *Barn* —7F **11**
Burlington Arc. *Barn* —6F **11**
(off Eldon St.)
Burnett Clo. *Pen* —6G **17**
Burnham Av. *Map* —5B **4**
Burnham Way. *Darf* —3H **23**
Burn Pl. *Barn* —7E **4**
Burnsall Gro. *Barn* —2K **21**
Burnside. *Thurn* —6G **15**
Burntwood Rd. *Thurn* —1F **25**
Burntwood Rd. *Grime* —1K **13**
Burrows Gro. *Wom* —5D **22**
Burton Av. *Barn* —3K **11**
Burton Bank Rd. *Barn* —4G **11**
(in two parts)
Burton Cres. *Barn* —2A **12**
Burton Rd. *Barn* —4G **11**
Burton St. *Barn* —4E **10**
Burton Ter. *Barn* —7H **11**
Burying La. *Raw* —6A **28**
Butcher St. *Thurn* —7G **15**
Buttercross Dri. *Lit H* —7A **14**
Butterfield Ct. *Brmp* —1J **29**
Butterleys. *Dod* —1A **20**
Buttermere Clo. *Bolt D* —7G **25**
Buttermere Way. *Barn* —7D **12**
Butterton Clo. *Map* —5C **4**
Buxton Rd. *Barn* —7G **5**
Byath La. *Cud* —1D **12**
Byland Way. *Barn* —5K **11**
Byrne Clo. *B Grn* —3J **9**
Byron Dri. *Barn* —3H **11**
Byron St. *Gt H* —6C **14**

Cadwell Clo. *Cud* —6E **6**
Caernarvon Cres. *Bolt D* —6F **25**
Caistor Av. *Barn* —1C **20**
Calder Av. *Roys* —3A **6**
Calder Cres. *Barn* —1K **21**
Calder Rd. *Bolt D* —7H **25**
Caldervale. *Roys* —2A **6**
California Cres. *Barn* —1F **21**
California Gdns. *Barn* —1E **20**
California St. *Barn* —1E **20**
California Ter. *Barn* —1E **20**
Callis La. *Pen* —7G **17**
Calver Clo. *Dod* —3A **20**
Calvert St. *Hoy* —4H **27**
Camborne Way. *Barn* —4H **11**
Campion Clo. *Bolt D* —5F **25**
Canada St. *Barn* —7F **11**
Canal St. *Barn* —4F **11**
Canal Way. *Barn* —4F **11**
Canberra Rise. *Bolt D* —6F **25**
Cannon Way. *Barn* —2K **9**
Canons Way. *Barn* —4J **11**
Capri Ct. *Darf* —2G **23**
Carbis Clo. *Barn* —4H **11**
Carey Av. *Barn* —6G **11**
Carlton Ho. *Cud* —7D **6**
Carlton Ind. Est. *Carl* —7J **5**
(in two parts)
Carlton Rd. *Barn* —2G **11**
Carlton St. *Barn* —3E **10**
Carlton St. *Cud* —7D **6**
Carlton St. *Grime* —1J **13**
Carlton Ter. *Barn* —5A **6**
Carnforth Rd. *Barn* —2K **11**
Carnley St. *Wath D* —2K **29**
Carrfield Clo. *Dart* —6H **3**
Carr Field La. *Bolt D* —5F **25**
Carr Grn. *Bolt D* —5G **25**
Carr Grn. *Map* —6C **4**
Carr Grn. La. *Map* —7C **4**
Carr Head La. *Bolt D* —5D **24**
Carr Head La. *Ing* —1D **16**
Carr Head Rd. *H Grn* —7B **26**
Carrington Av. *Barn* —3E **10**
Carrington St. *Barn* —4D **10**
Carr La. *Ing* —1C **16**

Carr La. *Tank* —5C **26**
Carrs La. *Cud* —2D **12**
Carr St. *Barn* —2K **11**
Carrwood Rd. *Barn* —7A **12**
Cartmel Ct. *Barn* —7K **5**
Castle Clo. *Dod* —2A **20**
Castle Clo. *Monk B* —4H **11**
Castle Clo. *Pen* —6G **17**
Castle Dri. *Hood G* —6J **19**
Castle La. *Pen* —6G **17**
Castlereagh St. *Barn* —6E **10**
Castle St. *Barn* —7E **10**
Castle St. *Pen* —6G **17**
Castle View. *Bird* —1E **26**
Castle View. *Dod* —7A **10**
Castle View. *Hood G* —6J **19**
Catania Rise. *Darf* —2G **23**
Cat Hill La. *Ing* —1F **9**
Cathill Rd. *Bolt D* —4A **24**
Cathill Roundabout. *Lit H* —3B **24**
Cavendish Rd. *Barn* —4E **10**
Cawley Pl. *Barn* —3G **11**
Cawthorne Clo. *Dod* —2A **20**
Cawthorne La. *Dart* —2D **8**
Cawthorne Rd. *B Grn* —2G **9**
Cawthorne View. *Hoy S* —2H **17**
Caxton St. *Barn* —4E **10**
Caythorpe Clo. *Lun* —2C **12**
Cayton Clo. *Barn* —7E **4**
Cedar Clo. *Roys* —2G **5**
Cedar Cres. *Barn* —1H **21**
Celandine Gro. *Darf* —3J **23**
Cemetery Rd. *Barn* —7G **11**
Cemetery Rd. *Bolt D* —7G **25**
Cemetery Rd. *Grime* —7J **7**
Cemetery Rd. *Jump* —2C **28**
Cemetery Rd. *Wom* —5F **23**
Central Av. *Grime* —6J **7**
Central Dri. *Roys* —3J **5**
Central St. *Gold* —2J **25**
Central St. *Hoy* —4H **27**
Challenger Cres. *Thurn* —6G **15**
Chambers Rd. *Hoy* —2K **27**
Chancel Way. *Barn* —4J **11**
Chapel Av. *Brmp* —1J **29**
Chapel Clo. *Bird* —2E **26**
Chapel Clo. *Shaf* —3E **6**
Chapel Ct. *Bird* —2E **26**
Chapel Field La. *Pen* —6E **16**
Chapel Field Wlk. *Pen* —6E **16**
Chapel Hill. *B Hill* —7K **21**
Chapel Hill. *Clay* —3G **15**
Chapel La. *Barn* —6J **5**
Chapel La. *Bil* —2D **24**
Chapel La. *Pen* —6E **16**
Chapel La. *Thurn* —7K **15**
Chapel Pl. *Barn* —7B **12**
Chapel Rd. *Tank* —3C **26**
Chapel St. *Barn* —7B **12**
Chapel St. *Bird* —2E **26**
Chapel St. *Bolt D* —6G **25**
Chapel St. *Grime* —1J **13**
Chapel St. *Hoy* —4H **27**
Chapel St. *Shaf* —3E **6**
Chapel St. *Thurn* —7G **15**
Chapman St. *Thurn* —7J **15**
Chappell Clo. *Hoy S* —2H **17**
Chappell Rd. *Hoy S* —2H **17**
Chapter Way. *Barn* —4J **11**
Chapter Way. *Silk* —6E **8**
Charity St. *Barn* —1B **12**
Charles St. *Barn* —7E **10**
Charles St. *Cud* —6E **6**
Charles St. *Gold* —3H **25**
Charles St. *Grime* —1J **13**
Charles St. *Lit H* —1C **24**
Charles St. *S Hien* —1G **7**
Charles St. *Wors* —4G **21**
Charter Arc. *Barn* —6F **11**
Chatsworth Rise. *Dod* —1J **19**
Chatsworth Rd. *Barn* —1G **11**
Cheapside. *Barn* —6F **11**
Chedworth Clo. *Dart* —7J **3**
Cherry Clo. *Cud* —6D **6**
Cherry Clo. *Roys* —2G **5**
Cherry Hills. *Dart* —5A **4**
Cherrys Rd. *Barn* —5K **11**
Cherry Tree Clo. *Map* —5C **4**
Cherry Tree St. *Hoy & Els* —3B **28**
Chesham Rd. *Barn* —6D **10**
Chestnut Av. *Brier* —4H **7**
Chestnut Ct. *Barn* —1F **21**

Chestnut Cres. *Barn* —1H **21**
Chestnut Dri. *S Hien* —1F **7**
Chestnut Gro. *Thurn* —1H **25**
Chestnut St. *Grime* —2K **13**
Chevet Rise. *Roys* —2H **5**
Chevet View. *Roys* —2G **5**
Cheviot Wlk. *Barn* —5B **10**
Chiltern Wlk. *Barn* —5B **10**
Chilton St. *Barn* —7G **11**
Chilwell Clo. *Barn* —5F **5**
Chilwell Gdns. *Barn* —5F **5**
Chilwell M. *Barn* —5F **5**
Chilwell Rd. *Barn* —5F **5**
Christchurch Rd. *Wath D* —2K **29**
Church Clo. *Dart* —5J **3**
Church Dri. *Brier* —4H **7**
Church Dri. *Wen* —7C **28**
Churchfield. *Barn* —6F **11**
Churchfield Av. *Cud* —1D **12**
Churchfield Av. *Dart* —6G **3**
Churchfield Clo. *Dart* —6F **3**
Churchfield Ct. *Barn* —5E **10**
Churchfield Ct. *Dart* —6H **3**
Churchfield Cres. *Cud* —1D **12**
Churchfield La. *Dart* —6F **3**
Church Field La. *Wen* —7C **28**
Church Field Rd. *Clay* —3G **15**
Churchfields Clo. *Barn* —5E **10**
Churchfield Ter. *Cud* —1D **12**
Church Fold. *Barn* —5E **10**
Church Gro. *Barn* —3J **11**
Church Hill. *Roys* —3K **5**
Church La. *Barn* —5E **10**
Church La. *Caw* —3C **8**
Church La. *H Hoy* —5A **2**
Church La. *S Hien* —1C **6**
Church La. *Tank* —6E **26**
Church La. *Wors* —6F **21**
Church Lea. *Hoy* —5A **28**
Church M. *Bolt D* —7G **25**
Church Rd. *Caw* —3C **8**
Church St. *Barn* —5G **29**
Church St. *Bolt D* —6G **25**
Church St. *Brier* —3H **7**
Church St. *Carl* —5K **5**
Church St. *Caw* —2C **8**
Church St. *Cud* —1D **12**
Church St. *Dart* —3K **23**
Church St. *Dart* —6J **3**
Church St. *Els* —4C **28**
Church St. *Gaw* —4A **10**
Church St. *Gt H* —5C **14**
Church St. *Jump* —2B **28**
Church St. *Map* —5C **4**
Church St. *Pen* —5F **17**
Church St. *Roys* —3J **5**
Church St. *Thurn* —7G **15**
Church St. *Wom* —6F **23**
Church St. Clo. *Thurn* —7G **15**
Church Ter. *Dod* —1J **19**
Church View. *Barn* —4C **10**
Church View. *Cud* —1D **12**
Church View. *Darf* —3A **24**
Church View. *Hoy* —4H **27**
Church View Cres. *Pen* —5F **17**
Church View Rd. *Pen* —5F **17**
Church Wlk. Thurn —7G 15
(off Church St.)
Cinder Hills Way. *Dod* —1A **20**
Clanricarde St. *Barn* —3E **10**
Clap Ho. Fold. *Haig* —1E **2**
Clarehurst Rd. *Darf* —2J **23**
Clarel Clo. *Pen* —6E **16**
Clarel St. *Pen* —6E **16**
Clarence Rd. *Barn* —3H **11**
Clarence Ter. Thurn —7J 15
(off Clarke St.)
Clarendon St. *Barn* —6D **10**
Clarke St. *Barn* —4D **10**
Clarke St. *Thurn* —7J **15**
Clarkson St. *Wors* —3J **21**
Clark St. *Hoy* —2K **27**
Clarney Av. *Darf* —2H **23**
Clarney Pl. *Darf* —2J **23**
Claycliffe Av. *Barn* —3K **9**
Claycliffe Bus. Pk. *B Grn* —2K **9**
Claycliffe Rd. *B Grn & Barn* —1K **9**
Claycliffe Ter. *Barn* —7D **10**
Claycliffe Ter. *Barn* —3J **25**
Clayfield Rd. *Hoy* —1K **27**
Clayroyd. *Wors* —4H **21**
Clayton Av. *Thurn* —6F **15**
Clayton Dri. *Thurn* —7F **15**

Clayton La. *Thurn* —6F **15**
Clear View. *Grime* —6J **7**
Clevedon Way. *Roys* —2H **5**
Cliff Clo. *Brier* —3H **7**
Cliff Dri. *Darf* —3A **24**
Cliffe Av. *Wors* —3H **21**
Cliffe Ct. *Barn* —4J **11**
Cliffe Cres. *Dod* —1J **19**
Cliffedale Cres. *Wors* —2H **21**
Cliffe La. *Barn* —4J **11**
Cliffe Rd. *Brmp* —1J **29**
Cliff Hill. *Caw* —2C **8**
Cliff La. *Brier* —4G **7**
Clifford St. *Cud* —5E **6**
Cliff Rd. *Darf* —3A **24**
Cliff Ter. *Barn* —6G **11**
Clifton Av. *Barn* —6E **4**
Clifton Clo. *Barn* —6E **4**
Clifton Cres. *Barn* —5F **5**
Clifton Gdns. *Brier* —3G **7**
Clifton Rd. *Grime* —7J **7**
Clifton St. *Barn* —7G **11**
Clipstone Av. *Barn* —6G **5**
Cloisters, The. *Wors* —6F **21**
Cloisters Way. *Barn* —4K **11**
Close, The. *Barn* —4A **12**
Close, The. *Carl* —5J **5**
Close, The. *Clay* —3G **15**
Cloudberry Way. *Map* —6D **4**
Clough Fields Rd. *Hoy* —4J **27**
Clough Head. *Pen* —7F **17**
Clough Rd. *Hoy* —4K **27**
Cloverlands Dri. *Map* —6C **4**
Clover Wlk. *Bolt D* —5F **25**
Club St. *Barn* —3J **11**
Club St. *Hoy* —4H **27**
Clumber St. *Barn* —5C **10**
Clyde St. *Barn* —7D **6**
Coach Ho. La. *Barn* —2F **21**
Coalby Wlk. Barn —5E 10
(off Prospect St.)
Coaley La. *Wen* —5G **29**
Coal Pit La. *Cud* —2F **13**
Coal Pit La. *Shaf* —4F **7**
Coates La. *Oxs & Silk* —6B **18**
Cobcar Av. *Els* —4D **28**
Cobcar Clo. *Els* —3C **28**
Cobcar La. *Els* —3C **28**
Cobcar St. *Els* —4C **28**
Cockerham Av. *Barn* —4E **10**
Cockerham La. *Barn* —4E **10**
Cockshot Pit La. *Map* —6A **4**
Coleridge Av. *Barn* —3H **11**
Coleridge Rd. *Wath D* —2K **29**
Coley La. *Wen* —7F **29**
College Ter. *Darf* —3J **23**
Colleridge Rd. *Wath D* —2K **29**
Colley Av. *Barn* —2J **21**
Colley Cres. *Barn* —1J **21**
Colley Pl. *Barn* —1J **21**
Colliery Yd. *Tank* —4D **26**
Collindridge Rd. *Wom* —6F **23**
Collins Clo. *Dod* —1J **19**
Colster Clo. *Barn* —5A **10**
Coltfield. *Bird* —7F **21**
Columbia St. *Barn* —1E **20**
Commercial Rd. *Bolt D* —5F **25**
Commercial St. *Barn* —7G **11**
Common La. *Clay* —1F **15**
(in two parts)
Common La. *Roys* —2J **5**
Common Rd. *Brier* —4J **7**
Common Rd. *Thurn* —7F **15**
Commonwealth View. *Bolt D* —6F **25**
Cone La. *Silk* C —3D **18**
Coniston Av. *Dart* —4A **4**
Coniston Clo. *Pen* —4F **17**
Coniston Dri. *Bolt D* —7G **25**
Coniston Rd. *Barn* —6G **11**
Conway Pl. *Wom* —7F **23**
Conway St. *Barn* —7K **11**
Co-operative Cotts. *Brier* —3H **7**
Co-operative St. *Cud* —1C **12**
Co-operative St. *Gold* —3J **25**
Cooper La. *Hoy S* —1J **17**
Cooper Rd. *Dart* —6G **3**
Cooper Row. Dod —2K 19
(off Stainborough Rd.)
Copeland Rd. *Wom* —6E **22**
Cope St. *Barn* —1F **21**
Copperas Clo. *Mil G* —5A **16**
Copper Clo. *Barn* —7F **11**
Copster La. *Oxs* —6B **18**

Cork La. *Swai* —3A **22**
Cornwall Clo. *Barn* —3H **11**
Coronation Av. *Grime* —1J **13**
Coronation Av. *Roys* —2A **6**
Coronation Av. *Shaf* —3D **6**
Coronation Cres. *Bird* —7F **21**
Coronation Dri. *Bird* —7F **21**
Coronation Dri. *Bolt D* —6F **25**
Coronation Rd. *B Grn* —3H **9**
Coronation Rd. *Hoy* —3K **27**
Coronation St. *Barn* —3J **11**
Coronation St. *Darf* —2K **23**
Coronation St. *Thurn* —1J **25**
Coronation Ter. *Barn* —7B **12**
Coronation Ter. *Hem* —1E **28**
Corporation St. *Barn* —7G **11**
Cortina Rise. *Darf* —2G **23**
Cortonwood Rd. *Wom* —3H **29**
Cortworth La. *Wen* —7F **29**
Cotswold Clo. *Barn* —5B **10**
Cottesmore Clo. *Barn* —4C **10**
County Ct. *Barn* —5F **11**
County Way. *Barn* —5F **11**
(in two parts)
Courtyard, The. *Barn* —6A **10**
Cover Dri. *Darf* —2K **23**
Crabtree Dri. *Gt H* —4B **14**
Cramlands. *Dod* —1A **20**
Cranborne Dri. *Dart* —5K **3**
Cranbrook St. *Barn* —7D **10**
Crane Well La. *Bolt D* —6J **25**
Cranford Gdns. *Roys* —2H **5**
Cranston Clo. *Barn* —3J **11**
Craven Clo. *Roys* —2H **5**
Craven Wood Clo. *Barn* —4A **10**
Crescent, The. *Barn* —3B **10**
Crescent, The. *Bolt D* —5H **25**
Crescent, The. *Carl* —7D **6**
Crescent, The. *Hood G* —6J **19**
Cresswell St. *Barn* —5C **10**
Crich Av. *Barn* —7G **5**
Croft Av. *Roys* —3H **5**
Croft Dri. *Mil G* —5A **16**
Crofton Dri. *Bolt D* —5G **25**
Croft Rd. *Barn* —1J **21**
Croft Rd. *Hoy* —2K **27**
Croft St. *Wors* —3G **21**
Croft, The. *Barn* —2J **9**
Croft, The. *Els* —5C **28**
Croft, The. *Hoy S* —2H **17**
Croft Way. *Barn* —1J **21**
Cromer St. *Grime* —7J **7**
Cromford Av. *Barn* —1H **11**
Crompton Av. *Barn* —7D **10**
Cromwell Mt. *Wors* —2E **20**
Cromwell St. *Thurn* —6J **15**
Cronkhill La. *Barn* —5K **5**
Crooke Ho. La. *Barn* —6H **13**
Crookes La. *Barn* —5H **5**
(in two parts)
Crookes St. *Barn* —6D **10**
Cropton Rd. *Roys* —3H **5**
Crosby Ct. *Barn* —2K **11**
Crosby St. *Cud* —6D **6**
Cross Butcher St. *Thurn* —7G **15**
Crossgate. *Map* —5B **4**
Crossgate. *Thurn* —1H **25**
Cross Hill. *Brier* —3H **7**
Cross Keys La. *Hoy* —3G **27**
Cross La. *H Grn* —7A **26**
Cross La. *Hoy S* —1H **17**
Cross La. *Pen* —6B **16**
Cross La. *Roys* —3A **6**
Cross St. *Barn* —4D **10**
Cross St. *B Grn* —3H **9**
Cross St. *Gold* —3K **25**
Cross St. *Gt H* —6C **14**
Cross St. *Grime* —1K **13**
Cross St. *Hoy* —4H **27**
Cross St. *Monk B* —3J **11**
Cross St. *Wom* —6E **22**
Cross St. *Wors* —2H **21**
Crossways. *Bolt D* —6G **25**
Crowden Wlk. *Barn* —6A **10**
Crown Av. *Barn* —1G **21**
Crown Av. *Cud* —3E **12**
Crown Clo. *Barn* —1G **21**
Crown Hill Rd. *Barn* —6A **10**
Crown St. *Barn* —1G **21**
Crown St. *Hoy* —3K **27**
Crummock Way. *Barn* —7D **12**
Cubley Brook Ct. *Pen* —6E **16**
Cudley Rise Rd. *Pen* —7E **16**

Cudworth View. *Grime* —1J **13**
Cumberland Clo. *Hoy* —2A **28**
Cumberland Clo. *Wors* —3F **21**
Cumberland Dri. *Barn* —7B **12**
Cumberland Rd. *Hoy* —2A **28**
Cumberland Way. *Bolt D* —7G **25**
Cumbrian Wlk. *Barn* —5B **10**
Cutlers Av. *Barn* —7D **10**
Cutty La. *Barn* —4D **10**
Cypress Rd. *Barn* —1H **21**

Dale Clo. *Barn* —7G **5**
Dale Grn. Rd. *Wors* —4F **21**
Dale Gro. *Bolt D* —7F **25**
Daleswood Av. *Barn* —6B **10**
Daleswood Dri. *Wors* —3K **21**
Dalton Ter. *Barn* —7G **11**
Damsteads. *Dod* —1A **20**
Dane St. *Thurn* —7J **15**
Dane St. N. *Thurn* —7J **15**
Dane St. S. *Thurn* —7J **15**
Darfield Rd. *Cud* —2E **12**
Darhaven. *Darf* —2J **23**
Dark La. *Barn* —1B **20**
Dark La. *Caw* —2C **8**
Dark La. *Wors* —5H **21**
Darley. *Wors* —3J **21**
Darley Av. *Barn* —1G **11**
Darley Av. *Wors* —2E **20**
Darley Cliff Cotts. *Wors* —3H **21**
Darley Clo. *Barn* —7G **5**
Darley Gro. *Wors* —3J **21**
Darley Ter. *Barn* —5D **10**
Darley Yd. *Wors* —3H **21**
Darrington Pl. *Barn* —4A **12**
Darton Hall Clo. *Dart* —5K **3**
Darton Hall Dri. *Dart* —5K **3**
Darton La. *Dart* —6K **3**
Darton Rd. *Caw* —2D **8**
Darton St. *Barn* —7K **11**
Dartree Wlk. *Darf* —2H **23**
*Darwin Yd. Hoy —5D **28**
(off Forge La.)*
Daw Croft Av. *Wors* —3G **21**
Dayhouse La. *Barn* —2B **10**
Daykin Clo. *Dart* —6H **3**
Day St. *Barn* —7E **10**
Deacons Way. *Barn* —4J **11**
Dean St. *Barn* —6D **10**
Deans Way. *Barn* —3J **11**
Dearne Clo. *Wom* —7H **23**
Dearne Hall Rd. *B Grn* —1K **9**
Dearne Rd. *Brmp* —1J **29**
Dearne Rd. *Wath D & Bolt D* —7E **24**
Dearne St. *Dart* —5K **3**
Dearne St. *Gt H* —6C **14**
Dearne Valley Parkway. *Wom* —7J **23**
Dearne View. *Gold* —3J **25**
Dearnley View. *Barn* —3D **10**
Deepcar La. *Cud* —4G **13**
Deightonby St. *Thurn* —7J **15**
De Lacy Dri. *Wors* —3G **21**
Della Av. *Grime* —6J **7**
Dell Av. *Grime* —6J **7**
Delph Clo. *Silk* —6E **8**
Denby Rd. *Barn* —7F **5**
Denton St. *Barn* —5F **11**
Derby St. *Barn* —6D **10**
Derry Gro. *Thurn* —1G **25**
Derwent Clo. *Barn* —7H **5**
Derwent Cres. *Barn* —7H **5**
Derwent Gdns. *Gold* —4J **25**
Derwent Pl. *Wom* —7H **23**
Derwent Rd. *Barn* —7G **5**
Derwent Way. *Wath D* —1K **29**
Devonshire Dri. *Barn* —3D **10**
Diamond St. *Wom* —5F **23**
Dickinson Pl. *Barn* —1F **21**
Dickinson Rd. *Barn* —1F **21**
Dike Hill. *Har* —7A **28**
Dillington Rd. *Barn* —1F **21**
Dillington Sq. *Barn* —1F **21**
Dillington Ter. *Barn* —1F **21**
Distillery Side. *Els* —5D **28**
Dobie St. *Barn* —7F **11**
Dobroyd Ter. *Jump* —2B **28**
Dobsyke Clo. *Wors* —3K **21**
Dodworth Bus. Pk. *Dod* —7J **9**
Dodworth Rd. *Barn* —6A **10**
Doe La. *Wors* —5E **20**
Dog Hill. *Shaf* —3D **6**

Dog Hill Dri. *Shaf* —3D **6**
Dog La. *Barn* —6E **10**
Doles Av. *Roys* —3H **5**
Doles Cres. *Roys* —3H **5**
Doncaster Rd. *Barn* —7G **11**
Doncaster Rd. *Darf & Bil* —2K **23**
Doncaster Rd. *Gold* —3J **25**
Don Dri. *Barn* —1K **21**
Don St. *Pen* —6H **17**
Dorchester Pl. *Wors* —3F **21**
Dovecliffe Rd. *Wom* —5A **22**
Dove Clo. *Bolt D* —6H **25**
Dove Clo. *Wom* —7H **23**
Dovedale. *Wors* —4H **21**
Dovedale Pl. *Wors* —4H **21**
Dove Hill. *Roys* —2K **5**
Dove Rd. *Wom* —7H **23**
Doveside Dri. *Darf* —4H **23**
Dove Valley Trail. *Silk E* —3E **18**
Downes Cres. *Barn* —4B **10**
Downing Sq. *Pen* —6F **17**
Dransfield Av. *Pen* —6F **17**
Drury Farm Ct. *Barn* —6A **10**
Dryden Rd. *Barn* —5G **11**
Duke Cres. *Barn* —7F **11**
Duke St. *Barn* —7F **11**
(in two parts)
Duke St. *Grime* —2J **13**
Duke St. *Hoy* —3A **28**
Dumfries Row. *Barn* —1G **21**
Dunmere Clo. *Barn* —2G **11**
Dyer Rd. *Jump* —2C **28**
Dyson St. *Barn* —1D **20**

Eaden Cres. *Hoy* —3B **28**
Eaming View. *Barn* —4G **11**
Earlsmere Dri. *Barn* —7C **12**
Earnshaw Ter. *Barn* —4D **10**
East Av. *Wom* —5D **22**
E. Croft. *Bolt D* —6G **25**
E. End Cres. *Roys* —3A **6**
Eastfield Av. *Pen* —5F **17**
Eastfield Clo. *Map* —6D **4**
Eastfield Cres. *Map* —6D **4**
Eastfield La. *Thurg & Hood G* —6E **18**
Eastfields. *Wors* —4H **21**
Eastgate. *Barn* —5E **10**
Eastmoor Gro. *Barn* —5J **5**
E. Pinfold. *Roys* —3J **5**
East Rd. *Oxs* —7J **17**
East St. *Darf* —2J **23**
East St. *Gold* —2K **25**
East St. *S Hien* —1G **7**
East View. *Cud* —7D **6**
East View. *Jump* —2B **28**
Ebenezer St. *Gt H* —6D **14**
Ebenezer Pl. *Hoy* —4C **28**
Ecklands Long La. *Mil G* —7A **16**
Edale Rise. *Dod* —1J **19**
Edderthorpe La. *Barn & Darf* —7J **13**
Eddyfield Rd. *Oxs* —6J **17**
Eden Clo. *Barn* —2J **9**
Edenfield Clo. *Barn* —1K **11**
Edgecliffe Pl. *Barn* —2G **11**
Edgehill Rd. *Map* —4A **4**
Edinburgh Av. *Bolt D* —6F **25**
Edinburgh Clo. *Barn* —3H **11**
Edinburgh Rd. *Hoy* —2A **28**
Edmonton Clo. *Barn* —5A **10**
Edmunds Rd. *Wors* —4J **21**
Edmund St. *Wom* —4J **21**
Edna St. *Bolt D* —6G **25**
Edward Clo. *Barn* —1J **21**
Edward Rd. *Gold* —4G **25**
Edward Rd. *Wath D* —1K **29**
Edward St. *Darf* —3J **23**
Edward St. *Hoy* —3K **27**
Edward St. *Map* —6C **4**
Edward St. *Thurn* —7G **15**
Edward St. *Wom* —5G **23**
Edwins Clo. *Barn* —7G **5**
Egmanton Rd. *Barn* —5F **5**
*Eldon Arc. Barn —6F **11**
(off Eldon St.)*
Eldon St. *Barn* —6F **11**
Eldon St. N. *Barn* —5F **11**
Elizabeth Av. *S Hien* —1G **7**
Elizabeth St. *Gold* —3J **25**
Elizabeth St. *Grime* —1J **13**
Elland Clo. *Barn* —7E **4**
Ellavale Rd. *Els* —3B **28**
Ellington Ct. *Barn* —1C **20**

Elliott Av. *Wom* —7F **23**
Elliott Clo. *Wath D* —2K **29**
Ellis Cres. *Brmp* —2J **29**
Elliston Av. *Map* —5C **4**
Elm Ct. *Wors* —4H **21**
Elmhirst La. *Hghm* —7H **9**
Elm Pl. *Barn* —2K **11**
Elm Row. *Barn* —6H **11**
Elmsdale. *Wors* —4H **21**
Elm St. *Hoy* —5H **27**
Elm Wlk. *Thurn* —6H **15**
Elsecar Rd. *Brmp B* —3J **29**
Elstead Clo. *Barn* —2J **9**
Emily Clo. *Barn* —5K **11**
Empire Ter. *Roys* —2K **5**
Emsley Av. *Cud* —3E **12**
Engine La. *Gold* —4K **25**
Engine La. *Shaf* —5F **7**
Ennerdale Rd. *Barn* —7D **12**
Eshton Ct. *Map* —4A **4**
Eshton Wlk. *Barn* —6E **10**
Eskdale Rd. *Barn* —7C **12**
Essex Rd. *Barn* —1F **21**
Eveline St. *Cud* —1D **12**
Evelyn Ter. *Barn* —7H **11**
Everill Clo. *Wom* —7H **23**
Everill Ga. La. *Wom* —6H **23**
(in two parts)
Ewden Rd. *Wom* —7H **23**
Ewden Way. *Barn* —6A **10**
Eyam Clo. *Dod* —1J **19**

Fairburn Gro. *Els* —3D **28**
Fairfield. *Bird* —7F **21**
Fairfield. *Bolt D* —6F **25**
Fairview Clo. *Hoy* —4J **27**
Fairway. *Dod* —2A **20**
Fairway Av. *Map* —4C **4**
Faith St. *Barn* —1B **12**
Falcon Dri. *Bird* —1F **27**
Falconer Clo. *Dart* —5G **3**
Falcon Knowle Ing. *Dart* —5G **3**
Falcon St. *Barn* —5E **10**
Fall Bank Cres. *Dod* —1H **19**
Fall Bank Ind. Est. *Dod* —1H **19**
Fall Head La. *Silk* —6F **9**
Fall View. *Silk* —7E **8**
Falmouth Clo. *Barn* —4H **11**
Falthwaite Grn. La. *Hood G* —5H **19**
Far Croft. *Bolt D* —6G **25**
Far Field La. *Barn* —1A **12**
Farm Clo. *Barn* —3J **11**
Farm Ho. La. *Barn* —5A **10**
Farm Rd. *Barn* —2H **21**
Farm Way. *Darf* —2J **23**
Farrand St. *Bird* —2E **26**
Farrar St. *Barn* —6D **10**
Farrow Clo. *Dod* —1A **20**
Far Townend. *Dod* —1A **20**
Far View Ter. *Barn* —1E **20**
Fearn Ho. Cres. *Hoy* —4J **27**
Fearnley Rd. *Hoy* —4J **27**
Fearnville Gro. *Roys* —3J **5**
Felkirk View. *Shaf* —3D **6**
Fellows Wlk. *Wom* —4D **22**
Fenn Rd. *Tank* —4F **27**
Fensome Way. *Darf* —2J **23**
Fernbank Clo. *Wors* —2F **21**
Fern Clo. *Darf* —4J **23**
Fern Lea Gro. *Bolt D* —6F **25**
Ferrara Clo. *Darf* —2G **23**
Ferry Moor La. *Cud* —1F **13**
Field Clo. *Darf* —2J **23**
Field Dri. *Cud* —2E **12**
Field Head Rd. *Hoy* —4A **28**
Field La. *Barn* —1A **12**
Field La. *Mil G* —7A **16**
Fields End. *Oxs* —7K **17**
Fife St. *Barn* —7D **10**
Filey Av. *Roys* —2K **5**
Firham Clo. *Roys* —2G **5**
Firs La. *Hoy S* —1F **17**
First Av. *Roys* —2K **5**
Firs, The. *Barn* —2J **21**
Firs, The. *Barn* —2J **21**
Firth Av. *Cud* —1C **12**
Firth Rd. *Wath D* —3K **29**
Firth St. *Barn* —5F **11**
Fish Dam La. *Barn* —2K **11**
Fitzwilliam Rd. *Darf & Lit H* —2A **24**
*Fitzwilliam Sq. Hoy —5D **28**
(off Forge La.)*

Fitzwilliam St. *Barn* —6E **10**
Fitzwilliam St. *Els* —4C **28**
Fitzwilliam St. *Hem* —2D **28**
Fitzwilliam St. *Hoy* —4H **27**
Five Acres. *Caw* —2D **8**
Flat La. *Lit H* —3C **24**
Flats, The. *Wom* —6E **22**
(in two parts)
Flax Lea. *Wors* —3G **21**
Fleet Clo. *Brmp B* —2K **29**
Fleethill Cres. *Barn* —2G **11**
Fleet St. *Barn* —7F **11**
Fleetwood Av. *Barn* —2J **11**
Fleming Pl. *Barn* —7E **10**
Florence Rise. *Darf* —3H **23**
Flower St. *Gold* —3K **25**
Foley Av. *Wom* —6E **22**
Folly La. *Thurl* —3B **16**
Forest Rd. *Barn* —6F **5**
Forge La. *Els* —5D **28**
Formby Ct. *Barn* —1K **11**
Foster St. *Barn* —7K **11**
Foulstone Row. *Wom* —6G **23**
Foundry St. *Barn* —7E **10**
(in two parts)
Foundry St. *Els* —4C **28**
Fountain Clo. *Barn* —5J **3**
Fountain Ct. *Barn* —5E **4**
Fountain Sq. *Barn* —5J **3**
Fountains Way. *Barn* —4K **11**
Foxcovert Clo. *Gold* —4G **25**
Fox Fields. *Oxs* —7J **17**
Foxfield Wlk. *Barn* —2K **21**
Foxroyd Clo. *Barn* —7B **12**
Frederick Rd. *Barn* —7D **10**
Frederick St. *Gold* —3J **25**
Frederick St. *Wom* —5E **22**
Frederic Pl. *Barn* —1F **21**
Freeman St. *Barn* —7F **11**
Freemans Yd. *Barn* —6F **11**
Friar's Rd. *Barn* —4A **12**
Frickley Bri. La. *Brier* —2G **7**
Frickley La. *Clay* —1K **15**
Fulford Clo. *Barn* —5A **4**
Fulmer Clo. *Barn* —1H **11**
Furlong Ct. *Gold* —5H **25**
Furlong Rd. *Bolt D* —6H **25**
*Furnace Yd. Hoy —5D **28**
(off Forge La.)*
Furnace Way. *Wors* —4G **21**
Furness Dene. *Barn* —2K **11**
Fylde Clo. *Barn* —1K **11**

Gadding Moor Rd. *Hoy S* —1G **17**
Gainsborough Way. *Barn* —3H **11**
Gaitskell Clo. *Gold* —5H **25**
Ganton Pl. *Barn* —7E **4**
Garbutt St. *Bolt D* —7H **25**
Garden Dri. *Brmp* —1J **29**
Garden Gro. *Hem* —1E **28**
Garden St. *Barn* —2J **11**
Garden St. *Barn* —7F **11**
Garden St. *Darf* —3J **23**
Garden St. *Gold* —3K **25**
Garden St. *Thurn* —7H **15**
Garraby Clo. *Gt H* —5C **14**
Gate Cres. *Dod* —7K **9**
Gate, The. *Dod* —7K **9**
Gawber Rd. *Barn* —4C **10**
Gayle Ct. *Barn* —5D **10**
Genn La. *Barn* —2D **20**
Genoa Clo. *Darf* —1G **23**
George Sq. *Barn* —6E **10**
George St. *Barn* —6E **10**
George St. *Cud* —6E **6**
George St. *Gold* —3G **25**
George St. *Hoy* —4A **28**
George St. *Lit H* —1B **24**
George St. *Low V* —4H **23**
George St. *Map* —5B **4**
George St. *Thurn* —1K **25**
George St. *Wom* —6F **23**
George St. *Wors B* —2G **5**
George St. *Wors D* —4J **21**
George Yd. *Barn* —6F **11**
Gerald Clo. *Barn* —1J **21**
Gerald Cres. *Barn* —7J **11**
Gerald Pl. *Barn* —1J **21**
Gerald St. *Barn* —1J **21**
Gerald Wlk. *Barn* —1J **21**
Gig La. *Hoy* —1H **27**
Gilbert Gro. *Barn* —7K **11**

Giles Av. Wath D —3K 29
Gillott Ind. Est. Barn —5D 10
Gill St. Hoy —4B 28
Gilroyd La. Dod —3A 20
Gipsy La. Wool —1J 3
Gledhill Av. Pen —7E 16
Glendale Clo. Barn —5B 10
Glenmoor Av. Barn —7B 10
Glenmore Rise. Wom —7G 23
Glenville Clo. Hoy —4K 27
Godley Clo. Roys —2K 5
Godley St. Roys —2K 5
Gold Croft. Barn —7G 11
Gold St. Barn —7G 11
Goldthorpe Grn. Gold —4H 25
Goldthorpe Ind. Est. Gold —4G 25
Goldthorpe Rd. Gold —4J 25
Gooder Av. Roys —3J 5
Goodyear Cres. Wom —6F 23
Gooseacre Av. Thurn —6G 15
Gordon St. Barn —7A 12
Gosling Ga. Rd. Gold —3J 25
Gower St. Wom —6G 23
Grace St. Barn —1H 12
Grafton St. Barn —6D 10
Graham's Orchard. Barn —6E 10
Grampian Clo. Barn —5B 10
Grange Clo. Brier —3H 7
Grange Cres. Barn —5A 12
Grange Cres. Thurn —6J 15
Grange Ho. Brier —3H 7
Grange La. Barn —6A 12
Grange La. Ind. Est. Barn —6A 12
Grange Rd. Brier —3H 7
Grange Rd. Roys —3G 5
Grange St. Thurn —7J 15
Grange Ter. Thurn —7J 15
(off Chapman St.)
Grange View. B Hill —7K 21
Grantley Clo. Wom —1H 29
Granton Pl. Barn —7E 4
Granville St. Barn —4D 10
Grasmere Clo. Bolt D —7G 25
Grasmere Clo. Pen —4F 17
Grasmere Cres. Dart —4A 4
Grasmere Rd. Barn —6G 11
Gray's Rd. Barn —5J 5
Gray St. —4C 28
Greaves Fold. Barn —5B 10
Greaves La. H Grn —7D 26
Green Acres. Hoy —4A 28
Green Bank. Barn —5F 5
Greenbank Wlk. Grime —7H 7
Greenfield Cotts. Barn —6J 5
Greenfield Gdns. Barn —5E 4
Greenfield Rd. Hoy —3A 28
Greenfoot Clo. Barn —4D 10
Greenfoot La. Barn —3D 10
(in two parts)
Green Ga. Clo. Bolt D —5H 25
Greenhill Av. Barn —4F 11
Greenland. Hoy —7K 25
Greenland View. Wors —4F 21
Green La. Barn —3C 20
Green La. Dod —2A 20
Green La. Hoy —4G 27
Green La. Not —1G 5
Green La. Pen —6F 17
Green La. Silk —1A 18
Green Rd. Dod —2J 19
Green Rd. Pen —6F 17
Greenset View. Barn —5E 4
Greenside. Hoy S —2J 17
Greenside. Map —5C 4
Greenside. Shaf —2D 6
Greenside Av. Map —5C 4
Greenside Gdns. Hoy S —2J 17
Greenside Ho. Dart —5C 4
Greenside La. Hoy —3A 28
Greenside Pl. Map —5C 4
Green Spring Av. Bird —1F 27
Green St. Hoy —3A 28
Green St. Wors —3J 21
Green, The. Bolt D —5G 25
Green, The. Hem —2E 28
Green, The. Hood G —6H 19
Green, The. Pen —6F 17
Green, The. Roys —3K 5
Green, The. Shaf —3D 6
Green, The. Thurl —4C 16
Green View, The. Shaf —2D 6
Greenwood Av. Wors —3H 21
Greenwood Cres. Roys —2H 5

Greenwood Ter. Barn —5E 10
Greno View. Hood G —6H 19
Greno View. Hoy —4J 27
Grenville Pl. Barn —4C 10
Greystones Av. Wors —4F 21
Grosvenor Dri. Barn —6C 10
Grove Clo. Pen —7F 17
Grove Clo. Wath D —1K 29
Grove Rd. Map —5A 4
Grove Rd. Wath D —1K 29
Grove St. Barn —6G 11
Grove St. Wors —3J 21
Grove, The. Cud —5D 6
Gudgeon Hale La. Hood G —7J 19
Guest La. Silk —6E 8
Guest Pl. Hoy —2A 28
Guest Rd. Barn —4D 10
Guest St. Hoy —2A 28
Guildford Rd. Roys —1H 5
Gypsy La. Wom —7G 23

Hackings Av. Pen —7E 16
Haddon Clo. Dod —1J 19
Haddon Rd. Barn —1H 11
Hadfield St. Wom —7F 23
Haigh Clo. Hoy S —2H 17
Haigh Croft. Roys —2H 5
Haigh La. Haig —1G 3
Haigh La. Hoy S —1J 17
Haigh Moor Way. Roys —1J 5
Haisemount. Dart —5A 4
Haldane Clo. Barn —3H 7
Haldene. Wors —4H 21
Halifax Rd. Pen —2E 16
Halifax St. Barn —3E 10
Hallam Ct. Bolt D —7F 25
Hall Av. Jump —2C 28
Hall Balk La. Barn —4D 10
Hall Brig. Clay —3G 15
Hall Broome Gdns. Bolt D —5G 25
Hall Clo. Brmp B —2K 29
Hall Clo. Wors —6G 21
Hall Croft Rise. Roys —3H 5
Hall Farm Dri. Thurn —1H 25
Hall Farm Gro. Hoy S —2J 17
Hall Farm Rise. Thurn —1H 25
Hall Ga. Pen —4F 17
Hallgate. Thurn —1H 25
Hall Gro. Map —5C 4
Hall Pl. Barn —3J 11
Hall Royd La. Silk C —2E 18
Hall Royd Wlk. Silk C —3E 18
Hall St. Gold —4J 25
Hall St. Hoy —3A 28
Hall St. Wom —6G 23
Hallsworth Av. Hem —2D 28
Halstead Gro. Map —4A 4
Hamble Ct. Map —6C 4
Hambleton Clo. Barn —5B 10
Hambleton Clo. Els —3D 28
Hamilton Rd. Gold —2K 25
Hamper La. Hoy S —2H 17
(in two parts)
Hanbury Clo. Barn —3K 11
Hand La. Thurg —7F 19
Hannas Royd. Dod —1A 20
Hanover Ct. Wors —3G 21
Hanover Sq. Thurn —7J 15
Hanover St. Thurn —6J 15
Hanson St. Barn —1F 11
Harborough Hill Rd. Barn —6F 11
Harden Clo. Barn —5A 10
Harden Clo. Pen —6F 17
Hardwick Clo. Wors —4G 21
Hardwick Cres. Barn —7G 5
Hardwick Gro. Dod —2K 19
Haredon Clo. Map —4A 4
Harewood Av. Barn —6B 10
Harley Rd. Har —7K 27
Harlington Rd. Ad D —7K 25
Harold Av. Barn —3A 12
Harriet Clo. Barn —1G 21
Harrington Ct. Barn —3A 12
Harry Rd. Barn —4B 10
Hartcliff Av. Pen —5E 16
Hartcliff La. Mil G —7A 16
Hartcliff Rd. Pen —7C 16
Hartington Dri. Barn —3F 11
Harvest Clo. Wors —4G 21
Harvey St. Barn —5F 11
Harwood Ter. Barn —5A 12
Hastings St. Grime —7J 7

Hatfield Clo. Barn —7E 4
Hatfield Gdns. Roys —2H 5
Havelock St. Barn —7D 10
Havelock St. Darf —3J 23
Havenfield. Darf —2J 23
Havercroft Rise. S Hien —1G 7
Haverdale Rise. Barn —5D 10
Haverlands La. Wors —4D 20
Haverlands Ridge. Wors —4F 21
Haw Ct. Silk —7D 8
Haworth Clo. Barn —4H 11
Hawshaw La. Hoy —3J 27
Hawson St. Wom —6G 23
Hawthorne Cres. Dod —7J 9
Hawthorne Flats. Thurn —6H 15
Hawthorne St. Barn —7E 10
Hawthorne St. Shaf —3E 6
Hawthorne Way. Shaf —3E 6
Hawtop La. Wool —1K 3
Hayes Croft. Barn —6F 11
Hayfield Clo. Dod —1J 19
Hay Grn. La. Bird —2F 27
Haylock Clo. Hghm —4J 9
Hazelshaw. Dod —2A 20
Hazledene Cres. Shaf —5F 7
Hazledene Rd. Shaf —5E 6
Headlands Rd. Hoy —3K 27
Heather Knowle. Dod —1A 20
Heather Wlk. Bolt D —7F 25
Heath Gro. Bolt D —7F 25
Hedge Hill Rd. Thurl —5C 16
Hedge La. Dart —7H 3
Heelis St. Barn —7H 11
Helena Clo. Barn —7D 10
Helensburgh Clo. Barn —5C 10
Hellin La. Caw —2D 8
Helston Cres. Barn —4H 11
Hemingfield Rd. Hem —7D 22
Hemsworth By-Pass. Brier —2K 7
Henderson Glen. Roys —3G 5
Henry Clo. Shaf —3E 6
Henry St. Wom —4H 23
Henshall St. Barn —7G 11
Heptinstall St. Wors —3H 21
Herbert Ter. Barn —1F 21
Hermit Hill La. Tank —3B 26
Hermit La. Hghm —5J 9
Herons Way. Bird —1F 27
Heysham Grn. Barn —1K 11
Hibbert Ter. Barn —1F 21
Hickleton Ct. Thurn —1G 25
Hickleton Ter. Thurn —1J 25
Hickson Dri. Barn —3A 12
Higham Comn. Rd. Hghm & B Grn —4J 9
Higham La. Hghm & Dod —5J 9
Higham View. Dart —7H 3
High Bank. Thurl —5C 16
High Bank La. Thurl —4A 16
Highcliffe Ter. Barn —7G 11
(off Gold St.)
High Clo. Dart —5H 3
High Croft. Hoy —4A 28
High Croft Dri. Barn —6F 5
Highfield Av. Barn —1G 11
Highfield Av. Gold —3H 25
Highfield Av. Wors —2F 21
Highfield Gro. Wath D —2J 29
Highfield La. Hems —1K 7
Highfield Range. Darf —1J 23
Highfield Rd. Darf —2J 23
Highfield Rd. Hoy S —2H 17
Highfields Rd. Darf —6F 3
Highgate. Gold —4G 25
Highgate La. Bolt D —5G 25
High La. Pen —1A 16
High Lee La. Hoy S —3H 17
High Ridge. Wors —3F 21
High Royd Av. Cud —1D 12
High Royd La. Hoy S —3J 17
Highroyds. Wors —2F 21
Highstone Av. Barn —1E 20
Highstone Corner. Wors —2F 21
Highstone Cres. Barn —1E 20
Highstone La. Wors —2F 21
Highstone Rd. Barn —1F 21
Highstone Vale. Barn —1E 20
High St. Billingley, Bil —2D 24
High St. Bolton-upon-Dearne, Bolt D —6G 25
High St. Darton, Dart —4A 4
High St. Dodworth, Dod —1K 19
High St. Goldthorpe, Gold —3J 25

High St. Great Houghton, Gt H —5B 14
High St. Grimethorpe, Grime —1H 13
High St. Hoyland, Hoy —3A 28
High St. Monk Bretton, Monk B —3J 11
High St. Penistone, Pen —5F 17
High St. Royston, Roys —3G 5
High St. Shafton, Shaf —3E 6
High St. Silkstone, Silk —1D 18
High St. South Hiendley, S Hien —1G 7
High St. Thurnscoe, Thurn —7G 15
High St. Wombwell, Wom —5F 23
High St. Worsbrough, Wors —3H 21
High Thorns. Silk —7D 8
High View. Roys —3H 5
High View Clo. Darf —2K 23
High Well Hill La. S Hien —1D 6
Highwood Clo. Dart —6G 3
Hilda Ter. Grime —1H 13
Hild Av. Cud —3F 13
Hill Crest. Hoy —4J 27
Hillcrest. Thurn —1G 25
Hill End Rd. Map —7C 4
Hill Farm Clo. Thurn —1F 25
Hillside. Barn —7C 12
Hillside Clo. Hoy S —2H 17
Hillside Cres. Brier —4J 7
Hillside Dri. Hoy —4B 28
Hillside Gro. Brier —4H 7
Hill Side La. Pen —6B 16
Hillside Mt. Brier —4J 7
Hill St. Barn —7A 12
Hill St. Darf —3J 23
Hill St. Els —4C 28
Hilltop. Brier —3H 7
Hilltop Av. Barn —5E 4
Hill Top La. Barn —4B 10
Hill Top Rd. Bird —1F 27
Hill Top Smithies. Barn —1F 11
Hilton St. Barn —5D 10
Hindle St. Barn —6D 10
Hodgkinson Av. Pen —5F 17
Hodroyd Clo. Shaf —5F 7
Hodroyd Cotts. Brier —4H 7
Hodster La. Gt H —3A 14
Holdroyds Yd. Dod —2K 19
Holgate. Wom —3D 22
Holgate Mt. Wors —2F 21
Holgate View. Brier —3J 7
Hollincroft. Dod —7A 10
Hollin Moor La. Thurg —7F 19
Hollins, The. Dod —2A 20
Hollowdene. Barn —4B 10
Hollowgate Av. Wath D —1K 29
Holly Bush Dri. Thurn —7H 15
Holly Ct. Barn —1F 21
Hollycroft Av. Roys —3H 5
Holly Ga. Wors —3J 21
Holly Gro. Brier —3J 7
Holm Croft. Caw —2C 8
Holme Ct. Gold —4G 25
Holme View Rd. Dart —6F 3
Holwick Clo. Silk —7D 8
Holwick Ct. Barn —6E 10
Homecroft Rd. Gold —3H 25
Honeysuckle Clo. Darf —3J 23
Honeywell Clo. Barn —4F 11
Honeywell Gro. Barn —3F 11
Honeywell La. Barn —4E 10
Honeywell Pl. Barn —4E 10
Honeywell St. Barn —4E 10
Honister Clo. Brmp B —2J 29
Hoober Field Rd. Raw —7J 29
Hoober Hall La. Raw & Wath D —6G 29
Hoober St. Wath D —2K 29
Hoober View. Wom —7H 23
Hood Grn. Rd. Hood G —6J 19
Hope Av. Gold —3H 25
Hope St. Barn —5D 10
Hope St. Low V —4H 23
Hope St. Map —6C 4
Hope St. Monk B —1B 12
Hope St. Wom —6G 23
Hopewell St. Barn —7K 11
Hopping La. Thurg —7D 18
Hopwood St. Barn —5E 10
Horbury Rd. Cud —6D 8
Hornby St. Barn —1F 21
(in two parts)
Hornes La. Map —5C 4
Hornthwaite Hill Rd. Thurl —6B 16
Horse Carr View. Barn —7C 12

Horsemoor Rd. *Thurn* —7F **15**
Horsewood Clo. *Barn* —7B **10**
Hough La. *Wom* —6E **22**
Houghton Rd. *Thurn* —7E **14**
Hound Hill La. *Wors* —4D **20**
House Carr La. *Hood G* —4F **19**
Howard St. *Barn* —1F **21**
Howard St. *Darf* —3A **24**
Howbrook La. *H Grn* —7A **26**
Howden Clo. *Dart* —5K **3**
Howell La. *Gt H* —1C **14**
Howse St. *Els* —3D **28**
Hoyland Clo. *Mil G* —5A **16**
Hoyland Rd. *Hoy* —4H **27**
Hoyland St. *Wom* —6F **23**
Hoyle Mill La. *Pen* —4D **16**
Hoyle Mill Rd. *Barn* —7K **11**
Huddersfield Rd. *Barn* —3C **10**
Huddersfield Rd. *Dart* —4F **3**
Huddersfield Rd. *Ing & Pen* —1B **16**
Hudson Haven. *Wom* —5D **22**
Humberside Way. *Barn* —1K **11**
Hunningley La. *Barn* —1K **21**
Hunningley La. *Barn* —3K **21**
Hunt Clo. *Barn* —3J **11**
Hunter's Av. *Barn* —7A **10**
Hunters Rise. *Barn* —6A **10**
Hunt St. *Hoy* —4H **27**
Hurley Croft. *Brmp B* —2J **29**
Huskar Clo. *Silk* —7D **8**

Ibberson Av. *Map* —6B **4**
Illsley Rd. *Darf* —2J **23**
Imperial St. *Barn* —1F **21**
Industry Rd. *Carl* —7J **5**
Ingbirchworth La. *Pen* —1A **16**
Ingbirchworth Rd. *Thurl* —4C **16**
Ingleton Wlk. *Barn* —5D **10**
Inglewood. *Dart* —5A **4**
Ingsfield La. *Bolt D* —6C **24**
(in two parts)
Ings La. *Lit H* —1K **23**
Ings Rd. *Wom* —4H **23**
Inkerman Rd. *Darf* —3J **23**
Innovation Way. *Barn* —3C **10**
Intake Cres. *Dod* —2K **19**
Intake La. *Barn* —4B **10**
Intake La. *Cud* —6E **6**
Ironworks Pl. *Hoy* —5D **28**
(off Forge La.)
Ironworks Row. *Hoy* —5D **28**
(off Forge La.)
Issott St. *Barn* —4F **11**
Ivy Cotts. *Roys* —2K **5**
Ivy Farm Clo. *Barn* —5K **5**
Ivy Ter. *Barn* —7G **11**

Jack Close Orchard. *Roys* —2J **5**
Jackson St. *Cud* —1C **12**
Jackson St. *Gold* —3J **25**
Jacobs Hall Ct. *Dart* —6G **3**
Jacques Pl. *Barn* —5K **11**
James St. *Barn* —5F **11**
James St. *S Hien* —1H **7**
James St. *Wors D* —3J **21**
Janet's Wlk. *Wom* —4C **22**
Jardine St. *Wom* —6F **23**
Jebb La. *Haig* —3B **2**
Jenny La. *Cud* —1D **12**
Jermyn Croft. *Dod* —1K **19**
Jesmond Av. *Roys* —3H **5**
Joan Royd La. *Pen* —7D **16**
Joan's Wlk. *Jump* —2B **28**
Jockey Rd. *Pen* —6K **17**
John Hartop Pl. *Hoy* —5D **28**
(off Forge La.)
Johnson St. *Barn* —5D **10**
John St. *Barn* —7F **11**
John St. *Gt H* —6D **14**
John St. *Lit H* —1C **24**
John St. *Thurn* —7H **15**
John St. *Wom* —5E **22**
John St. *Wors* —4G **21**
Jones Av. *Wom* —5D **22**
Joseph Ct. *Barn* —7F **11**
Joseph St. *Barn* —7F **11**
Joseph St. *Grime* —1J **13**
Jubilee Ter. *Barn* —7H **11**
Judy Row. *Barn* —3J **11**
Junction Clo. *Wom* —7J **23**
Junction St. *Barn* —7H **11**

Junction St. *Wom* —7H **23**
Junction Ter. *Barn* —7H **11**

Kathleen Gro. *Gold* —2K **25**
Kathleen St. *Gold* —2K **25**
Kaye St. *Barn* —5F **11**
Kay's Ter. *Barn* —1A **22**
Kay St. *Hoy* —4H **27**
Keats Gro. *Pen* —4F **17**
Keeper La. *Wool* —1K **4**
Keir St. *Barn* —5D **10**
Keir Ter. *Barn* —5D **10**
Kelly St. *Gold* —3J **25**
Kelsey Ter. *Barn* —1F **21**
Kelvin Gro. *Wom* —6G **23**
Kendal Cres. *Wors* —4G **21**
Kendal Dri. *Bolt D* —7G **25**
Kendal Grn. *Wors* —4E **20**
Kendal Grn. Rd. *Wors* —4E **20**
Kendal Gro. *Barn* —7C **12**
Kendal Vale. *Wors B* —5G **21**
Kendray St. *Barn* —6F **11**
Kennedy Clo. *Mil G* —5A **16**
Kennedy Dri. *Gold* —5H **25**
Kensington Av. *Thurl* —4C **16**
Kensington Rd. *Barn* —4D **10**
Kenwood Clo. *Barn* —7K **11**
Kenworthy Rd. *Barn* —1F **21**
Keresforth Clo. *Barn* —7C **10**
Keresforth Hall Dri. *Barn* —1C **20**
Keresforth Hall Rd. *Barn* —1D **20**
Keresforth Hill Rd. *Barn* —2B **20**
(in two parts)
Keresforth Rd. *Dod* —2K **19**
Kestrel Rise. *Bird* —1F **27**
Keswick Clo. *Dart* —3A **4**
Keswick Wlk. *Barn* —7C **12**
Ket Hill La. *Brier* —3H **7**
Ketton Wlk. *Barn* —4C **10**
Kexbrough Dri. *Dart* —6H **3**
Key Av. *Hoy* —3B **28**
Kibroyd Dri. *Dart* —7G **3**
Kilnsea Wlk. *Barn* —6E **10**
(off Fitzwilliam St.)
Kine Moor La. *Silk* —2B **18**
King Edwards Gdns. *Barn* —7E **10**
King Edward St. *Barn* —1K **11**
King George Ter. *Barn* —7H **11**
Kings Ct. *Wors* —3J **21**
Kingsland Ct. *Roys* —2K **5**
Kingsley Clo. *Barn* —1G **11**
King's Rd. *Cud* —5E **6**
Kings Rd. *Wom* —6G **23**
King's Stocks. *Lit H* —2C **24**
King's St. *Grime* —1J **13**
Kingstone Pl. *Barn* —1D **20**
King St. *Barn* —7F **11**
King St. *Gold* —3J **25**
King St. *Hoy* —3A **28**
King St. *Thurn* —1J **25**
Kingsway. *Map* —5A **4**
Kingsway. *Thurn* —7G **15**
Kingsway. *Wom* —6F **23**
Kingsway Gro. *Thurn* —7G **15**
Kingswood Cres. *Hoy* —2A **28**
Kingwell Cres. *Wors* —2F **21**
Kingwell Croft. *Wors* —3G **21**
Kingwell Rd. *Wors* —3F **21**
Kirk Balk. *Hoy* —3K **27**
Kirkby Av. *Barn* —6G **5**
Kirk Cross Cres. *Roys* —4J **5**
Kirkfield Clo. *Caw* —3D **8**
Kirkfield Way. *Roys* —4J **5**
Kirkgate La. *S Hien* —1D **6**
Kirkham Cl. *Barn* —4J **11**
Kirkham Pl. *Barn* —7K **11**
Kirkstall Rd. *Barn* —7E **4**
Kirk View. *Hoy* —3K **27**
Kirk Way. *Barn* —4K **11**
Kitchen Rd. *Wom* —5D **22**
Kitson Dri. *Barn* —4K **11**
Knabbs La. *Silk C* —3D **18**
Knollbeck Av. *Brmp* —1J **29**
Knoll Beck Clo. *Gold* —4G **25**
Knollbeck Cres. *Brmp* —1J **29**
Knollbeck La. *Brmp* —1J **29**
Knowle Rd. *Barn* —2H **21**
Knowles St. *Pen* —6H **17**
Knowsley St. *Barn* —6D **10**

Laburnum Gro. *Wors* —4J **21**

Laceby Ct. *Barn* —1C **20**
Ladock Clo. *Barn* —4H **11**
Ladycroft. *Bolt D* —6G **25**
Lady Croft La. *Barn* —2E **28**
Ladywood Rd. *Grime* —1K **13**
Laithe Croft. *Dod* —1K **19**
Laithes Clo. *Barn* —7H **5**
Laithes Cres. *Barn* —7F **5**
Laithes La. *Barn* —7F **5**
Lakeland Clo. *Cud* —2E **12**
Lambe Flatt. *Dart* —6G **3**
Lambert Fold. *Dod* —1A **20**
Lambert Rd. *Barn* —1J **21**
Lambert Wlk. *Barn* —7J **11**
Lamb La. *Barn* —2J **11**
Lambra Rd. *Barn* —6F **11**
Lambs Flat La. *Dart* —7G **3**
Lancaster Ga. *Barn* —6E **10**
Lancaster St. *Barn* —6D **10**
Lancaster St. *Thurn* —1J **25**
Lane Cotts. *Roys* —3J **5**
Lane Head Clo. *Map* —4A **4**
Lane Head Rise. *Map* —4A **4**
Lane Head Rd. *Caw* —4A **8**
Lang Av. *Barn* —5A **12**
Langcliff Clo. *Map* —4A **4**
Lang Cres. *Barn* —5A **12**
Langdale Rd. *Barn* —6G **11**
Langdale Rd. *B Grn* —2J **9**
Langdon Wlk. *Barn* —5D **10**
Langford Clo. *Dod* —1K **19**
Langsett Ct. *Barn* —7E **4**
Langsett Rd. *Barn* —7E **4**
Lansdowne Clo. *Thurn* —7G **15**
Lansdowne Cres. *Dart* —7H **3**
Lanyon Way. *Barn* —4H **11**
Larchfield Pl. *Barn* —2K **11**
Larch Pl. *Barn* —2J **21**
Laurel Av. *Barn* —1K **21**
Lawndale Fold. *Dart* —5K **3**
Lawrence Clo. *Barn* —7J **11**
Laxton Rd. *Barn* —7K **11**
Lea Brook La. *Raw* —6G **29**
Leadley St. *Gold* —3J **25**
Leapings La. *Thurl* —5B **16**
Lea Rd. *Barn* —7H **5**
Ledbury Rd. *Barn* —1F **11**
Ledsham Ct. *Els* —2D **28**
Lee La. *Mil G* —5A **16**
Lee La. *Roys* —4D **4**
Lees Av. *Pen* —5F **17**
Lees, The. *Ard* —7D **12**
Leighton Clo. *Barn* —4F **11**
Leopold St. *Barn* —7D **10**
Lepton Gdns. *Barn* —2K **21**
Lesley Rd. *Gold* —3J **25**
Leslie Rd. *Barn* —7A **10**
Lesmond Cres. *Lit H* —2C **24**
Lewdendale. *Wors* —4G **21**
Lewis Rd. *Barn* —3A **12**
Ley End. *Wors* —4F **21**
Lidgate La. *Shaf* —3D **6**
Lidget La. *Thurn* —1D **6**
Lidget La. Ind. Est. *Thurn* —7K **15**
Lidgett La. *Tank* —4D **26**
Lifford Pl. *Barn* —4D **28**
Lilac Cres. *Hoy* —2A **28**
Lilacs, The. *Roys* —2A **6**
Lilydene Av. *Grime* —7H **7**
Lily Ter. *Jump* —2B **28**
Lime Gro. *Barn* —5J **5**
Limes Av. *Barn* —4B **10**
Limes Av. *Map* —4C **4**
Limes Clo. *Map* —4C **4**
Limesway. *Barn* —4B **10**
Lime Tree Clo. *Cud* —7D **6**
Linburn Clo. *Roys* —2G **5**
Linby Rd. *Barn* —6F **5**
Lincoln Gdns. *Gold* —3H **25**
Lindale Gdns. *Gold* —4K **25**
Lindales, The. *Barn* —5C **10**
Linden Rd. *Wath D* —3K **29**
Lindhurst Lodge. *Barn* —6F **5**
Lindhurst Rd. *Barn* —6E **4**
Lindley Cres. *Thurn* —1H **25**
Lindrick Clo. *Cud* —5E **6**
Lingamore Leys. *Thurn* —6H **15**
Lingard Ct. *Barn* —5D **10**
Lingard St. *Barn* —4D **10**
Links View. *Map* —4B **4**
Link, The. *Dod* —2A **20**
Linkthwaite. *Dod* —1A **20**
Linthwaite La. *Els & Wen* —5E **28**

Linton Clo. *Barn* —7B **10**
Lister Row. *Gt H* —4B **14**
Litherop La. *Clay W* —1A **2**
Litherop Rd. *H Hoy* —4B **2**
Lit. Field La. *Wom* —5F **23**
(in two parts)
Lit. Houghton La. *Darf* —2K **23**
Little La. *H Hoy* —5A **2**
Lit. Leeds. *Hoy* —3A **28**
Littleworth La. *Barn* —3K **11**
Litton Clo. *Shaf* —3E **6**
Litton Wlk. *Barn* —5D **10**
Litton Wlk. *Shaf* —3E **6**
Livingstone Cres. *Barn* —2H **11**
Livingstone Ter. *Barn* —7E **10**
Lobwood. *Wors* —3G **21**
Lobwood La. *Wors* —3H **21**
Lockeaflash Cres. *Barn* —1K **21**
Locke Av. *Barn* —7E **10**
Locke Av. *Wors* —2F **21**
Locke Rd. *Dod* —2A **20**
Locke St. *Barn* —1D **20**
Lockwood Av. *Barn* —1F **21**
Lockwood Rd. *Gold* —3J **25**
Lombard Clo. *Barn* —7D **10**
Lombard Cres. *Darf* —3G **23**
Long Balk. *Barn* —2J **9**
Longcar La. *Barn* —7D **10**
Long Causeway. *Barn* —5J **11**
Long Croft. *Map* —5B **4**
Longfield Clo. *Wom* —4D **22**
Longfield Dri. *Map* —6B **4**
Longfields Cres. *Hoy* —3K **27**
Longlands Dri. *Map* —6B **4**
Long La. *Pen* —7H **17**
Long La. *Thurl* —4C **16**
Longley Clo. *B Grn* —3J **9**
Longley St. *B Grn* —3J **9**
Longman Rd. *Barn* —4E **10**
Longridge Rd. *Barn* —1K **11**
Longside Way. *Barn* —5A **10**
Longsight Rd. *Map* —5A **4**
Lonsdale Av. *Barn* —7D **10**
Lord St. *Barn* —5J **11**
Loretta Cotts. *Hoy* —3K **27**
Lorne Rd. *Thurn* —7F **15**
Low Cronkhill La. *Roys* —4A **6**
Low Cudworth. *Cud* —2D **12**
Low Cudworth Grn. *Cud* —2D **12**
Lowe La. *S'boro* —5J **19**
Lwr. Castlereagh St. *Barn* —6E **10**
Lwr. High Royds. *Dart* —6A **4**
Lwr. Mill Clo. *Gold* —4G **25**
Lwr. Thomas St. *Barn* —7E **10**
Lwr. Unwin St. *Pen* —6F **17**
Lwr. York St. *Wom* —5F **23**
Lowfield Rd. *Bolt D* —6H **25**
Low Grange Rd. *Thurn* —7G **15**
Low Grange Sq. *Thurn* —7G **15**
Low Laithes View. *Wom* —4D **22**
Lowlands Clo. *Barn* —2K **11**
Low Pastures Clo. *Dod* —1A **20**
Low Row. *Oug* —7B **18**
Low Row. *Dart* —3J **3**
Low Valley Ind. Est. *Wom* —4H **23**
Low View. *Dod* —1J **19**
Loxley Av. *Wom* —6E **22**
Loxley Rd. *Barn* —4B **12**
Lugano Gro. *Darf* —2G **23**
Lulworth Clo. *Barn* —7H **11**
Lund Av. *Barn* —4B **12**
Lund Clo. *Barn* —4B **12**
Lund Cres. *Barn* —4B **12**
Lundhill Clo. *Wom* —7G **23**
Lundhill Gro. *Wom* —7G **23**
Lund Hill La. *Roys* —2B **6**
Lundhill Rd. *Wom* —1G **29**
Lunn Rd. *Cud* —1D **12**
Lynton Pl. *Dart* —6H **3**
Lynwood Dri. *Barn* —5J **5**
Lytham Av. *Barn* —1K **11**
Lyttleton Cres. *Pen* —7E **16**

Mackey Cres. *Brier* —3G **7**
Mackey La. *Brier* —3G **7**
McLintock Way. *Barn* —6D **10**
Macnaughton Rd. *Tank* —4F **27**
Macro Rd. *Wom* —6G **23**
Maggot La. *Oxs* —5B **18**
Magnolia Clo. *Shaf* —4F **7**
Main St. *Gold* —3J **25**

Main St. *S Hien* —1F **7**
Main St. *Wen* —7C **28**
Main St. *Wom* —5E **22**
Malcolm Clo. *Barn* —7K **11**
Malham Clo. *Shaf* —3E **6**
Malham Ct. *Barn* —5D **10**
Mallory Way. *Cud* —7E **6**
Maltas Ct. *Wors* —3J **21**
Malthouse La. *Barn* —6F **11**
Malton Pl. *Barn* —7E **4**
Malvern Clo. *Barn* —5B **10**
Manchester Rd. *Mil G & Thurl* —5A **16**
Manor Av. *Gold* —3J **25**
Manor Clo. *Brmp B* —2K **29**
Manor Ct. *Roys* —3G **5**
Manor Cres. *Grime* —6J **7**
Manor Croft. *S Hien* —1F **7**
Manor Dri. *Roys* —3H **5**
Manor Dri. *S Hien* —1F **7**
Manor End. *Wors* —3F **21**
Manor Farm Clo. *Barn* —6K **5**
Manor Gdns. *Barn* —7C **12**
Manor Gro. *Grime* —6H **7**
Manor Gro. *Roys* —3H **5**
Manor Ho. Clo. *Hoy* —3A **28**
Manor La. *Oxs* —7A **18**
Manor Occupation Rd. *Roys* —2H **5**
Manor Pk. *Silk* —7D **8**
Manor Pl. *Hoy* —3B **28**
Manor Rd. *Brmp B* —2J **29**
Manor Rd. *Cud* —1C **12**
Manor Rd. *Thurn* —7G **15**
Manor Sq. *Thurn* —7G **15**
Manor St. *Barn* —6K **5**
Manor View. *Shaf* —4E **6**
Manor Way. *Hoy* —3A **28**
Mansfield Rd. *Barn* —6F **5**
Maori Av. *Bolt D* —6E **24**
Maple Clo. *Barn* —1H **21**
Maple Rd. *Map* —5A **4**
Maple Rd. *Tank* —6D **26**
Mapplewell Dri. *Map* —6C **4**
Maran Av. *Darf* —3A **24**
Margaret Clo. *Darf* —3H **23**
Margaret Rd. *Darf* —3H **23**
Margaret Rd. *Wom* —6G **23**
Margate St. *Grime* —7J **7**
Marina Rise. *Darf* —3G **23**
Market Clo. *Barn* —6G **11**
Market Hill. *Barn* —6E **10**
Market Pde. *Barn* —6F **11**
Market Pl. *Cud* —7D **6**
Market Pl. *Els* —4C **28**
Market Pl. *Pen* —5F **17**
Market Pl. *Wom* —6G **23**
Market Sq. *Gold* —3J **25**
Market St. *Barn* —6E **10**
Market St. *Cud* —7D **6**
Market St. *Gold* —3J **25**
Market St. *Hoy* —2A **28**
Market St. *Pen* —5E **16**
Market St. *Thurn* —7G **15**
Mark St. *Barn* —6E **10**
Marlborough Clo. *Thurn* —7G **15**
Marlborough Ter. *Barn* —7E **10**
Marsala Wlk. *Darf* —2H **23**
Marshfield. *Bird* —7F **21**
Marsh St. *Wom* —5F **23**
Marston Cres. *Barn* —6F **5**
Martin Clo. *Bird* —1F **27**
Martin Croft. *Silk* —7D **8**
Martin La. *B Hill* —7K **21**
Martin's Rd. *Barn* —4A **12**
Mary Ann Clo. *Barn* —5K **11**
Mary La. *Darf* —3A **23**
Mary's Pl. *Barn* —5B **10**
Mary's Rd. *Darf* —3K **23**
Mary St. *B Grn* —3H **9**
Mary St. *Lit H* —1C **24**
Mason St. *Gold* —3J **25**
Masons Way. *Barn* —2J **21**
Mason Way. *Hoy* —2K **27**
Mathew Gap. *Thurl* —4C **16**
Matlock Rd. *Barn* —1H **11**
Mauds Ter. *Barn* —2J **11**
Mawfield Rd. *Barn* —3K **9**
Mayberry Dri. *Silk* —6D **8**
May Day Grn. *Barn* —6F **11**
May Day Grn. Arc. *Barn* —6F **11**
Mayfield. *Barn* —6H **11**
Mayfield. *Oxs* —7K **17**
Mayfield Ct. *Oxs* —7K **17**
Mayfield Cres. *Wors* —2E **20**

May Ter. *Barn* —6C **10**
Maythorn Clo. *Map* —6C **4**
Maytree Clo. *Darf* —3J **23**
Meadowland Rise. *Cud* —3D **12**
Meadow Av. *Cud* —3F **13**
Meadow Ct. *Roys* —3K **5**
Meadow Cres. *Grime* —7H **7**
Meadow Cres. *Roys* —2K **5**
Meadow Croft. *Shaf* —3E **6**
Meadow Dri. *Barn* —3K **11**
Meadow Dri. *Darf* —3K **23**
Meadowfield Dri. *Hoy* —5A **28**
Meadowgates. *Bolt D* —5G **25**
Meadowland Rise. *Cud* —2E **12**
Meadow La. *Dart* —7J **3**
Meadow Rd. *Roys* —3K **5**
Meadow St. *Barn* —5F **11**
Meadow View. *Hoy S* —2H **17**
Meadow View. *Wors* —3G **21**
Meadow View Clo. *Hoy* —4K **27**
Meadstead Dri. *Roys* —3H **5**
Medina Way. *B Grn* —2J **9**
Medway Clo. *B Grn* —2K **9**
Medway Pl. *Wom* —7H **23**
Melbourne Av. *Bolt D* —6F **25**
Melford Clo. *Map* —5B **4**
Mell Av. *Hoy* —3A **28**
Mellor Rd. *Wom* —6F **23**
Mellwood Gro. *Hem* —1E **28**
Melrose Way. *Barn* —5K **11**
Melton Av. *Brmp* —1K **29**
Melton Av. *Gold* —3J **25**
Melton Grn. *Wath D* —3K **29**
Melton High St. *Wath D* —3K **29**
Melton St. *Brmp* —1K **29**
Melton Ter. *Wors* —3J **21**
Melville St. *Wom* —5F **23**
Melvinia Cres. *Barn* —3D **10**
Mendip Clo. *Barn* —5B **10**
Merlin Clo. *Bird* —1F **27**
Merrill Rd. *Thurn* —7G **15**
Methley St. *Cud* —1D **12**
Metro Trading Cen. *Barn* —2J **9**
Mews Ct. *Bolt D* —7G **25**
Mexborough Rd. *Bolt D* —7H **25**
Meyrick Dri. *Dart* —7H **3**
Michael Rd. *Barn* —5A **12**
Michael's Est. *Grime* —7J **7**
Mickelden Way. *Barn* —6A **10**
Middleburn Clo. *Barn* —1G **21**
Middlecliff Cotts. *Lit H* —1C **24**
Middlecliff La. *Lit H* —7A **14**
Middle Clo. *Darf* —4A **24**
Middle Field La. *Wool* —1J **3**
Middlesex St. *Barn* —1F **21**
Middlewoods. *Dod* —1A **20**
Midhope Way. *Barn* —6A **10**
Midhurst Gro. *B Grn* —2J **9**
Midland Rd. *Roys* —2J **5**
Midland St. *Barn* —6F **11**
Milano Rise. *Darf* —3H **23**
Milden Pl. *Barn* —1G **21**
Milefield View. *Grime* —7H **7**
Mileswood Clo. *Hoy* —4B **14**
Milford Av. *Els* —3D **28**
Milgate St. *Roys* —2K **5**
Milking La. *Brmp* —2J **29**
Mill Ct. *Wors* —3G **21**
Millers Dale. *Wors* —4G **21**
Mill Hill. *Wom* —4D **22**
Millhouses St. *Hoy* —4A **28**
Mill La. *Dart* —5J **3**
Mill La. *Thurl* —5B **16**
Mill La. *Wath D* —4K **29**
Mill La. *Wen* —7B **28**
Millmoor Ct. *Wom* —4H **23**
Millmoor Rd. *Darf* —4A **24**
Millmount Rd. *Hoy* —4B **28**
Mill Race Dri. *Gold* —4G **25**
Millside. *Shaf* —3E **6**
Millside Wlk. *Shaf* —3E **6**
Mill St. *Barn* —6H **11**
Mill View. *Bolt D* —7F **25**
Milner Av. *Pen* —4D **16**
Milnes St. *Barn* —7G **11**
Milne St. *B Grn* —2J **9**
Milton Clo. *Jump* —2B **28**
Milton Clo. *Wath D* —1K **29**
Milton Cres. *Hoy* —4A **28**
Milton Gro. *Wom* —6G **23**
Milton Rd. *Hoy* —4A **28**
Milton St. *Gt H* —5B **14**
Minster Way. *Barn* —4K **11**

Mission Field. *Brmp* —1J **29**
Mitchell Clo. *Wors* —3K **21**
Mitchell Rd. *Wom* —3E **22**
Mitchells Enterprise Cen. *Wom*
—3E **22**
Mitchell St. *Swai* —3A **22**
Mitchells Way. *Wom* —4E **22**
Mitchelson Av. *Dod* —1J **19**
Modena Ct. *Darf* —2G **23**
Mona St. *Barn* —5D **10**
Monkspring. *Wors* —3J **21**
Monks Way. *Barn* —4K **11**
Monk Ter. *Barn* —2A **12**
Monsal Cres. *Barn* —7G **5**
Monsal St. *Thurn* —7G **15**
Montague St. *Cud* —6E **6**
Montrose Av. *Dart* —5K **3**
Mont Wlk. *Wom* —4C **22**
Moorbank Clo. *Barn* —3C **10**
Moorbank Clo. *Wom* —4D **22**
Moorbank Rd. *Wom* —3D **22**
Moorbank View. *Wom* —3D **22**
Moorbridge Cres. *Brmp* —7K **23**
Moorcrest Rise. *Map* —4B **4**
Moorend La. *Silk C* —3E **18**
Moor Grn. Clo. *Barn* —6A **10**
Moorhouse La. *Haig* —1G **3**
Moorland Av. *Barn* —7B **10**
Moorland Av. *Map* —4A **4**
Moorland Cres. *Map* —4B **4**
Moorland Pl. *Silk C* —3E **18**
Moorland Ter. *Cud* —2E **12**
Moor La. *Bird* —4F **27**
Moor La. *Gt H* —4B **14**
Moor Ley. *Bird* —7F **21**
Moorside Av. *Pen* —6F **17**
Moorside Clo. *Map* —6B **4**
Morrison Pl. *Darf* —2J **23**
Morrison Rd. *Darf* —2H **23**
Mortimer Dri. *Pen* —7E **16**
Mortimer Rd. *Cub* —7E **16**
Morton Clo. *Barn* —2K **11**
Mottram St. *Barn* —5F **11**
Mount Av. *Gt H* —6C **14**
Mount Av. *Grime* —6J **7**
Mount Clo. *Barn* —1F **21**
Mount Cres. *Hoy* —2K **27**
Mt. Pleasant. *Grime* —6J **7**
Mt. Pleasant. *Wors* —4H **21**
Mount Rd. *Grime* —6J **7**
Mount St. *Ard* —7B **12**
Mount St. *Barn* —7E **10**
Mount Ter. *Wom* —5E **22**
Mt. Vernon Av. *Barn* —1F **21**
Mt. Vernon Cres. *Barn* —2G **21**
Mt. Vernon Rd. *Wors* —3F **21**
Mucky La. *Barn* —6C **12**
Muirfield Clo. *Cud* —5E **6**
Muirfields, The. *Darf* —5A **4**
Mulberry Clo. *Darf* —3J **23**
Murdoch Pl. *Barn* —7E **4**
Mylor Ct. *Barn* —4J **11**
Myrtle Rd. *Wom* —5E **22**
Myrtle St. *Barn* —5C **10**

Nancy Cres. *Grime* —1K **13**
Nancy Rd. *Grime* —1K **13**
Nanny Marr Rd. *Darf* —3J **23**
Napier Mt. *Wors* —3F **21**
Nasmyth Row. *Hoy* —5D **28**
(off Forge La.)
Naylor Gro. *Dod* —1K **19**
Needlewood. *Dod* —2K **19**
Neild Rd. *Hoy* —3B **28**
Nelson Av. *Barn* —3G **11**
Nelson St. *Barn* —6E **10**
Nelson St. *S Hien* —1G **7**
Nether Rd. *Silk* —6E **8**
Nether Royd View. *Silk C* —3E **18**
Netherwood Rd. *Wom* —3F **23**
Neville Av. *Barn* —1K **21**
Neville Clo. *Barn* —1K **21**
Neville Clo. *Wom* —4D **22**
Neville Ct. *Wom* —4D **22**
Neville Cres. *Barn* —1K **21**
Newark Clo. *Map* —4B **4**
New Chapel Av. *Pen* —7E **16**
New Clo. *Silk* —7D **8**
Newdale Av. *Cud* —2C **12**
Newfield Av. *Barn* —3K **11**
New Hall La. *Barn* —1D **22**
Newhill Rd. *Barn* —2G **11**

Newington Av. *Cud* —6D **6**
Newland Av. *Cud* —2C **12**
Newland Rd. *Barn* —7E **4**
New La. *Bolt D* —4B **24**
(in two parts)
New Lodge Cres. *Barn* —7E **4**
Newlyn Dri. *Barn* —4H **11**
Newman Av. *Barn* —5J **5**
New Rd. *Caw* —2A **8**
New Rd. *Dart* —4A **4**
New Rd. *Tank* —4D **26**
New Rd. *Wom* —2F **29**
New Royd. *Mil G* —5A **16**
New Smithy Av. *Thurl* —5C **16**
New Smithy Dri. *Thurl* —4C **16**
Newsome Av. *Wom* —5D **22**
Newstead Rd. *Barn* —6E **4**
New St. *Barn* —7E **10**
(in two parts)
New St. *Bolt D* —7H **25**
New St. *Darf* —3J **23**
New St. *Dod* —2K **19**
New St. *Gt H* —6C **14**
New St. *Grime* —1J **13**
New St. *Hem* —2D **28**
New St. *Map* —5B **4**
New St. *Roys* —3J **5**
New St. *S Hien* —1F **7**
New St. *Stair* —7A **12**
New St. *Wom* —5G **23**
New St. *Wors B* —4G **21**
New St. *Wors D* —4J **21**
Newton St. *Barn* —5D **10**
Newtown Av. *Cud* —2C **12**
Newtown Av. *Roys* —2H **5**
Newtown Grn. *Cud* —2D **12**
Nicholas La. *Gold* —3G **25**
Nicholas St. *Barn* —6D **10**
Nicholson Av. *B Grn* —3J **9**
Noble St. *Hoy* —4B **28**
Noblethorpe La. *Silk* —1A **18**
Nook La. *Pen* —7G **17**
Nook, The. *Hoy S* —2J **17**
Nora St. *Gold* —2K **25**
Norcroft. *Wors* —2F **21**
Norcroft La. *Caw* —4C **8**
Norfolk Clo. *Barn* —3H **11**
Norfolk Rd. *Gt H* —6C **14**
Norman Clo. *Barn* —3J **11**
Norman Clo. *Wors* —3G **21**
Normandale Rd. *Gt H* —5C **14**
Norman St. *Thurn* —7J **15**
N. Carr La. *Barn* —7J **13**
North Clo. *Roys* —3J **5**
Northcote Ter. *Barn* —5C **10**
North Field. *Silk* —7D **8**
Northgate. *Barn* —4C **10**
Northgate. *S Hien* —1G **7**
Northlands. *Roys* —2J **5**
North La. *Caw* —4A **8**
North La. *Silk* —5E **8**
Northorpe. *Dod* —2B **20**
North Pl. *Barn* —4B **10**
North Rd. *Roys* —1K **5**
North St. *Darf* —2J **23**
Northumberland Av. *Hoy* —2A **28**
Northumberland Way. *Barn* —7B **12**
North View. *Grime* —1H **13**
Norville Cres. *Darf* —2K **23**
Norwood Dri. *B Grn* —2J **9**
Norwood Dri. *Brier* —3J **7**
Norwood La. *Pen* —3B **16**
Nostell Fold. *Dod* —2K **19**
Nottingham Clo. *Barn* —1C **22**
Nursery Gdns. *Barn* —1A **22**
Nursery St. *Barn* —7E **10**

Oak Clo. *Hoy* —4K **27**
Oakdale. *Wors* —3H **21**
Oakdale Clo. *Wors* —4H **21**
Oakfield Ct. *Map* —5A **4**
Oakfield Wlk. *Barn* —5B **10**
Oakham Pl. *Barn* —4C **10**
Oak Haven Av. *Gt H* —6C **14**
Oaklands Av. *Barn* —3K **11**
Oak Lea. *Wors* —4J **21**
Oaklea Clo. *Map* —4B **4**
Oak Leigh. *Caw* —3C **8**
Oak Pk. Rise. *Barn* —1G **21**
Oak Rd. *Shaf* —4F **7**
Oak Rd. *Thurn* —7H **15**
Oaks Cres. *Barn* —7J **11**

Oaks Farm Clo. *Dart* —5K **3**
Oaks Farm Dri. *Dart* —5K **3**
(in two parts)
Oak St. *Barn* —6D **10**
Oak St. *Grime* —1K **13**
Oaks Wood Dri. *Dart* —6K **3**
Oak Tree Av. *Cud* —7D **6**
Oak Tree Clo. *Dart* —6H **3**
Oakwell La. *Barn* —7G **11**
Oakwell Ter. *Barn* —6G **11**
Oakwood Av. *Roys* —2J **5**
Oakwood Clo. *Wors* —4J **21**
Oakwood Cres. *Barn* —2H **5**
Oakwood Rd. *Roys* —2H **5**
Oakwood Sq. *Dart* —6F **3**
Oakworth Clo. *Barn* —4B **10**
Oberon Cres. *Darf* —2H **23**
Occupation Rd. *Harl* —7K **27**
Old Anna La. *Thurl* —4C **16**
Old Hall Rd. *Wors* —6D **20**
Old Hall Wlk. *Gt H* —6C **14**
Old Mnr. Dri. *Oxs* —7K **17**
Old Mkt. Pl. *Wom* —6F **23**
Old Mill La. *Barn* —5E **10**
Old Rd. *Barn* —2G **11**
Old Row. *Els* —4D **28**
Oldroyd Av. *Grime* —1J **13**
Oldroyd Row. Dod —2H **19**
(off Stainborough Rd.)
Ollerton Rd. *Barn* —5F **5**
Orchard Clo. *Barn* —2J **11**
Orchard Clo. *Dart* —5B **4**
Orchard Clo. *Silk C* —3E **18**
Orchard Croft. *Dod* —1A **20**
Orchard Dri. *S Hien* —1F **7**
Orchard M. *Barn* —4E **10**
Orchard St. *Gold* —4J **25**
Orchard St. *Thurn* —7G **15**
Orchard St. *Wom* —5F **23**
Orchard Ter. *Caw* —3D **8**
Orchard Wlk. *Barn* —4F **11**
Orchard Way. *Thurn* —7H **15**
Oriel Way. *Barn* —4K **11**
Orwell Clo. *Wom* —7H **23**
Osborne Clo. *Barn* —3K **11**
Osborne M. *Barn* —7G **11**
Osborne St. *Barn* —7G **11**
Osmond Dri. *Wors* —4G **21**
Osmond Pl. *Wors* —3G **21**
Osmond Way. *Wors* —3G **21**
Osprey Av. *Bird* —1F **27**
Oulton Dri. *Cud* —7E **6**
Overdale Av. *Wors* —2H **21**
Overdale Rd. *Wom* —7G **23**
Owram St. *Darf* —3J **23**
Oxford Pl. *Barn* —7A **12**
Oxford St. *Barn* —1G **21**
Oxford St. *Stair* —7A **12**
Oxspring La. *Pen* —5J **17**
Oxton Rd. *Barn* —6F **5**

Pack Horse Grn. *Silk* —7D **8**
Packman Rd. *Raw & Wath D* —4K **29**
Packman Way. *Wath D* —3K **29**
Paddock Clo. *Map* —5C **4**
Paddock Rd. *Map* —5C **4**
Paddock, The. *Darf* —2J **23**
Padley Clo. *Dod* —1J **19**
Padua Rise. *Darf* —3H **23**
Pagnell Av. *Thurn* —1F **25**
Palermo Fold. *Darf* —2H **23**
Palmer Clo. *Pen* —7E **16**
Palmer Gro. *Barn* —6F **11**
Palm St. *Barn* —4D **10**
Pangbourne Rd. *Thurn* —6G **15**
Pantry Grn. *Wors* —4J **21**
Pantry Hill. *Wors* —3J **21**
Pantry Well. *Wors* —4J **21**
Parade, The. *Hoy* —4K **27**
Parish Way. *Barn* —4K **11**
Park Av. *Barn* —6E **10**
Park Av. *Brier* —3K **7**
Park Av. *Cud* —6D **6**
Park Av. *Grime* —6J **7**
Park Av. *New L* —7F **5**
Park Av. *Pen* —5E **16**
Park Av. *Roys* —3J **5**
Park Clo. *Map* —6C **4**
Park Cotts. *Wors* —5G **21**
Park Ct. *Thurn* —7H **15**

Park Cres. *Roys* —3K **5**
Park Dri. *S'boro* —4B **20**
Park End Rd. *Gold* —4H **25**
Parker's Ter. *Barn* —2E **26**
Parker St. *Barn* —6D **10**
Park Gro. *Barn* —6F **11**
Parkhead Clo. *Roys* —2G **5**
Park Hill. *Darf* —2K **23**
Parkhill Gro. *Dod* —7K **9**
Park Hill Rd. *Wom* —5G **23**
Park Hollow. *Wom* —6H **23**
Parkin Ho. La. *Mil G* —6A **16**
Park La. *Gt H* —3K **13**
Park La. *Pen* —5E **16**
Park Rd. *Barn* —1D **20**
Park Rd. *Brier* —3K **7**
Park Rd. *Grime* —7J **7**
Park Rd. *Thurn* —7G **15**
Park Rd. *Wors* —7G **21**
Parkside M. *Wors B* —3G **21**
Parkside M. *Hoy* —5H **27**
Park St. *Barn* —7E **10**
Park St. *Wom* —6G **23**
Park, The. *Caw* —3C **8**
Park View. *Barn* —1D **20**
Park View. *Brier* —3K **7**
Park View. *Dod* —1K **19**
Park View. *Roys* —2K **5**
Park View. *Shaf* —4E **6**
Park View. *Wors* —3H **21**
Park View Rd. *Map* —5D **4**
Parma Rise. *Darf* —3G **23**
Parson La. *Dod* —2H **19**
Pasture La. *Bolt D* —4B **24**
Pavilion Clo. *Brier* —3J **7**
Pea Fields La. *H Grn* —7A **26**
Peak Rd. *Barn* —7G **5**
Pearson Cres. *Wom* —3D **22**
Pearson's Field. *Wom* —5F **23**
Peartree Av. *Thurn* —7G **15**
Peartree Ct. *Gt H* —5B **14**
Pear Tree Clo. *Thurn* —7G **15**
Peel Pde. *Barn* —6E **10**
Peel Pl. *Barn* —4G **11**
Peel Sq. *Barn* —6E **10**
Peel St. *Barn* —6E **10**
Peel St. *Wors C* —1F **21**
Peel St. Arc. *Barn* —6E **10**
Peet Wlk. *Jump* —2B **28**
Pembridge Ct. *Roys* —2J **5**
Pendlebury Gro. *Hoy* —4J **27**
Pengeston Rd. *Pen* —6D **16**
Pennine Clo. *Dart* —4A **4**
Pennine View. *Dart* —4A **4**
Pennine Way. *Barn* —5B **10**
Penrhyn Wlk. *Barn* —7C **12**
Penrith Gro. *Barn* —7B **12**
Pepper St. *Hoy* —1A **28**
Peregrine Dri. *Bird* —1F **27**
Perseverance St. *Barn* —6D **10**
Petworth Croft. *Roys* —2H **5**
Peveril Cres. *Barn* —7G **5**
Philip Rd. *Barn* —1K **21**
Phoenix La. *Thurn* —1J **25**
Pickhill's Av. *Gold* —3K **25**
Pickup Cres. *Wom* —7F **23**
Pike Lowe Dri. *Map* —6D **4**
Pilley Grn. *Tank* —4D **26**
Pilley Hill. *Dod* —2K **19**
Pilley La. *Tank* —3D **26**
Pilley La. End. *Tank* —2C **26**
Pindar Oaks Cotts. *Barn* —7H **11**
Pindar Oaks St. *Barn* —7G **11**
Pindar St. *Barn* —7H **11**
Pine Clo. *Barn* —2J **21**
Pine Clo. *Hoy* —4A **28**
Pinehall Dri. *Barn* —3K **11**
Pinewood Clo. *Gt H* —4B **14**
Pinfield Clo. *Barn* —1E **10**
Pinfold Clo. *Barn* —7A **12**
Pinfold Cotts. *Cud* —1E **10**
Pinfold Wll. *Wors* —2G **21**
Pinfold La. *Barn* —3K **23**
Pinfold La. *Roys* —3J **5**
Pinfold La. *Silk C & Thurg* —5E **18**
Pit La. *Wom* —6C **22**
Pit Row. *Hem* —3E **28**
Pitt La. *Map* —5A **4**
Pitt St. *Barn* —6E **10**
Pitt St. *Wom* —3G **23**
Pitt St. W. *Barn* —6D **10**
Plantation Av. *Roys* —3K **5**
Platts Comn. Ind. Est. *Hoy* —2K **27**

Playford Yd. *Hoy* —1K **27**
Pleasant Av. *Gt H* —5C **14**
Pleasant View. *Cud* —3E **12**
Pleasant View St. *Barn* —3E **10**
Plover Dri. *Bird* —1F **27**
Plumber St. *Barn* —6D **10**
Plumpton Ct. *Thurl* —5B **16**
Plumpton Way. *Pen* —5B **16**
Pogmoor La. *Barn* —5A **10**
Pogmoor Rd. *Barn* —5B **10**
Pog Well La. *Hghm* —4J **9**
(in two parts)
Pollitt St. *Barn* —4D **10**
Pollyfox Way. *Dod* —1K **19**
Pond St. *Barn* —7E **10**
(in two parts)
Pontefract Rd. *Barn* —6F **11**
Pontefract Rd. *Brmp* —1K **29**
Pontefract Rd. *Cud* —6D **6**
Pools La. *Roys* —3A **6**
Poplar Av. *Gold* —3J **25**
Poplar Av. *Shaf* —4E **6**
Poplar Gro. *Lun* —3A **12**
Poplar Rd. *Wom* —6G **23**
Poplars Rd. *Barn* —1H **21**
Poplar St. *Grime* —1K **13**
Poplar Ter. *Roys* —2K **5**
Porter Av. *Barn* —5C **10**
Porter Ter. *Barn* —5B **10**
Portland St. *Barn* —7H **11**
Potts Cres. *Gt H* —5C **14**
Poulton St. *Barn* —1K **11**
Powder Mill La. *Wors* —5J **21**
Powell St. *Wors* —4H **21**
Powerhouse Sq. Hoy —5D **28**
(off Forge La.)
Preston Av. *Jump* —2C **28**
Preston Way. *Barn* —1K **11**
Priest Croft La. *Barn* —7H **13**
Priestley Av. *Dart* —6G **3**
Primrose Av. *Darf* —3H **23**
Primrose Clo. *Bolt D* —5F **25**
Primrose Hill. *Hoy* —4A **28**
Primrose Way. *Hoy* —5A **28**
Prince Arthur St. *Barn* —5D **10**
Princess Clo. *Bolt D* —6F **25**
Princess Gdns. *Wom* —6F **23**
Princess Gro. *Cud* —4C **26**
Princess Rd. *Gold* —3J **25**
Princess St. *Barn* —6E **10**
Princess St. *Cud* —5E **6**
Princess St. *Grime* —1J **13**
Princess St. *Hoy* —4H **27**
Princess St. *Map* —5A **4**
Princess St. *Wom* —5E **22**
Priory Clo. *Wors* —6F **21**
Priory Cres. *Barn* —4A **12**
Priory Pl. *Barn* —3A **12**
Priory Rd. *Barn* —3A **12**
Priory Rd. *Bolt D* —6G **25**
Probert Av. *Gold* —3H **25**
Prospect Cotts. *Barn* —1F **21**
Prospect Rd. *Bolt D* —5G **25**
Prospect Rd. *Cud* —1D **12**
Prospect St. *Barn* —6D **10**
Prospect St. *Cud* —7D **6**
Providence Ct. *Barn* —7E **10**
Providence St. *Wom* —4H **23**
Psalters Dri. *Oxs* —7K **17**
Pye Av. *Cud* —3F **13**
Pye Av. *Map* —6A **4**

Quaker La. *Ard* —7C **12**
Quaker La. *Barn* —3H **11**
Quarry Bank. *Wath D* —3K **29**
Quarry Clo. *Dart* —6H **3**
Quarry La. *Darf* —3A **24**
Quarry Rd. *B Hill* —7K **21**
Quarry St. *Barn* —7F **11**
Quarry St. *Cud* —7D **6**
Quarry St. *Monk B* —2G **11**
Quarry Vale. *Cud* —2D **12**
Queen Rd. *Grime* —1K **13**
Queen's Av. *Barn* —5D **10**
Queen's Av. *Lit H* —1B **24**
Queen's Cres. *Hoy* —4G **27**
Queen's Dri. *Cud* —5E **6**
Queen's Dri. *Dod* —1K **19**
Queen's Dri. *Shaf* —3D **6**
Queens Gdns. *Barn* —4C **10**
Queens Gdns. *Hoy* —4H **27**

Queens Gdns. *Wom* —6F **23**
Queen's Rd. *Barn* —6F **11**
Queen's Rd. *Cud* —5E **6**
Queen St. *Barn* —6F **11**
Queen St. *Darf* —2K **23**
Queen St. *Gold* —3J **25**
Queen St. *Grime* —1J **13**
Queen St. *Hoy* —4G **27**
Queen St. *Pen* —5G **17**
Queen St. *Thurn* —1J **25**
Queen St. S. *Barn* —6E **10**
Queensway. *Barn* —4C **10**
Queensway. *Hoy* —3B **28**
Queensway. *Roys* —2J **5**
Queensway. *Wors* —4H **21**
Quern Way. *Darf* —2J **23**
Quest Av. *Hem* —1E **28**

Racecommon La. *Barn* —1D **20**
Racecommon Rd. *Barn* —1D **20**
Race St. *Barn* —7F **11**
Radcliffe Rd. *Barn* —6F **5**
Railway Cotts. *Dod* —1J **19**
Railway Ter. *Gold* —3H **25**
Railway View. *Gold* —3J **25**
Rainborough M. *Brmp B* —2K **29**
Rainborough Rd. *Wath D* —3K **29**
Rainboro View. *Barn* —2E **28**
Rainford Dri. *Barn* —1K **11**
Rainton Gro. *Barn* —4B **10**
Raley St. *Barn* —1D **20**
(in two parts)
Ratten Row. *Dod* —2J **19**
Ravenfield Dri. *Barn* —2G **11**
Ravenholt. *Wors* —4G **21**
Raven La. *S Hien* —1C **6**
Ravens Clo. *Map* —6B **4**
Ravens Ct. *Wors* —4H **21**
Ravenshaw Clo. *Barn* —4B **10**
Ravensmead Ct. *Bolt D* —7G **25**
Raymond Av. *Grime* —1J **13**
Raymond Rd. *Barn* —7K **11**
Rear of John St. Thurn —7H **15**
(off John St.)
Reasbeck Ter. *Barn* —2F **11**
Rebecca Row. *Barn* —7F **11**
Rectory Clo. *Carl* —5K **5**
Rectory Clo. *Thurn* —7F **15**
Rectory Clo. *Wom* —6F **23**
Rectory La. *Thurn* —1F **25**
Rectory Way. *Barn* —4K **11**
Redbrook Bus. Pk. *Barn* —3B **10**
Redbrook Ct. *Barn* —3C **10**
Redbrook Rd. *Gaw & Barn* —3A **10**
Redbrook View. *Barn* —3C **10**
Redbrook Wlk. *Barn* —3C **10**
Redcliffe Clo. *Barn* —3B **10**
Redfearn St. *Barn* —5F **11**
Redhill Av. *Barn* —1J **5**
Redland Gro. *Map* —4B **4**
Redthorne Way. *Shaf* —3D **6**
Redthorpe Crest. *Barn* —3A **10**
Redwood Av. *Roys* —3J **5**
Redwood Clo. *Hoy* —4K **27**
Reed Clo. *Darf* —3J **23**
Regent Ct. *Barn* —3C **10**
Regent Cres. *Barn* —7F **5**
Regent Cres. *S Hien* —1G **7**
Regent Gdns. *Barn* —4E **10**
Regent Rd. *Barn* —6F **11**
Regent St. *Barn* —5E **10**
Regent St. *Hoy* —4G **27**
Regent St. *S Hien* —1G **7**
Regent St. S. *Barn* —5E **10**
Regina Cres. *Brier* —4G **7**
Reginald Rd. *Barn* —1K **21**
Reginald Rd. *Wom* —6H **23**
Renald La. *Hoy S* —2G **17**
Rhodes Ter. *Barn* —7G **11**
Riber Av. *Barn* —7G **5**
Richard Av. *Barn* —1G **11**
Richard Rd. *Barn* —1G **11**
Richard Rd. *Dart* —6H **3**
Richardson Wlk. *Wom* —4D **22**
Richard St. *Barn* —6D **10**
Richmond Av. *Dart* —7H **3**
Richmond Rd. *Thurn* —7G **15**
Richmond St. *Barn* —6D **10**
Ridgeway Way. *Wors* —2F **21**
Ridgway Av. *Darf* —2J **23**
Ridings Av. *Barn* —2H **11**

Ridings, The. *Barn* —2H **11**
Rimington Rd. *Wom* —5F **23**
Rimini Rise. *Darf* —3G **23**
Ringstone Gro. *Brier* —3J **7**
Ringway. *Bolt D* —6F **25**
Ripley Gro. *Barn* —3B **10**
Risedale Rd. *Cud* —4K **25**
Riverside Clo. *Darf* —3A **24**
Riverside Gdns. *Bolt D* —7H **25**
Roache Dri. *Gold* —4G **25**
Robert Av. *Barn* —5K **11**
Roberts St. *Cud* —7D **6**
Roberts St. *Wom* —6E **22**
Robin Hood Av. *Roys* —2K **5**
Robin La. *Hems* —1H **7**
Robin La. *Roys* —2K **5**
Robinson's Sq. *Bird* —2E **26**
Rob Royd. *Dod* —2K **19**
Rob Royd. *Wors* —3C **20**
Rob Royd La. *Barn* —3D **20**
Roche Clo. *Barn* —4H **11**
Rochester Rd. *Barn* —3H **11**
Rockingham Bus. Pk. *Bird* —3F **27**
Rockingham Clo. *Bird* —3F **27**
Rockingham Rd. *Dod* —2A **20**
Rockingham Row. *Bird* —3F **27**
Rockingham St. *Barn* —3E **10**
Rockingham St. *Bird* —3F **27**
Rockingham St. *Grime* —7J **7**
Rockingham St. *Hoy* —3H **27**
Rockley Av. *Bird* —1E **26**
Rockley Av. *Wom* —7D **22**
Rockley Cres. *Barn* —2E **26**
Rockley La. *Wors* —6C **20**
Rockleys. *Dod* —2A **20**
Rockley View. *Tank* —3D **26**
Rock Mt. *Hoy* —3B **28**
Rock Side Rd. *Thurl* —5C **16**
Rock St. *Barn* —5D **10**
Rockwood Clo. *Dart* —5K **3**
Rodes Av. *Gt H* —6C **14**
Roebuck Hill. *Jump* —1B **28**
Roebuck St. *Wom* —7F **23**
Roeburn Clo. *Map* —4A **4**
Roehampton Rise. *Barn* —7B **12**
Roger Rd. *Barn* —5A **12**
Roman Rd. *Dart* —7H **3**
Roman St. *Thurn* —6J **15**
Rookdale Clo. *Barn* —3B **10**
Rookhill. *Wors* —3J **21**
Rose Av. *Darf* —1H **23**
Roseberry Clo. *Hoy* —5A **28**
Rosebery St. *Barn* —7K **11**
Rosebery Ter. *Barn* —7F **11**
Rosedale Gdns. *Barn* —6C **10**
Rose Gro. *Wom* —4D **22**
Rose Hill Clo. *Pen* —6F **17**
Rosehill Cotts. *Har* —7A **28**
Rosehill Ct. *Barn* —5E **10**
Rose Hill Dri. *Dod* —1K **19**
Rose Pl. *Wom* —4E **22**
Rose Tree Av. *Cud* —7D **6**
Rose Tree Ct. *Cud* —7D **6**
Roseville. *Darf* —2J **23**
Rotherham Rd. *Barn* —1F **11**
Rotherham Rd. *Lit H & Gt H* —2B **24**
Rotherham Rd. *Wath D* —3K **29**
Rother St. *Brmp* —1J **29**
Roughbirchworth La. *Oxs* —7K **17**
Round Grn. La. *S'boro* —4B **20**
Round Hill. *Map* —6A **4**
Roundwood Ct. *Wors* —4G **21**
Roundwood Way. *Darf* —2H **23**
Rowan Clo. *Barn* —1F **21**
Rowan Dri. *Barn* —4B **10**
Rowland Rd. *Barn* —4C **10**
Rowland St. *Roys* —2K **5**
Royal Ct. *Hoy* —3B **28**
Royal St. *Barn* —6E **10**
Royd Av. *Cud* —1D **12**
Royd Av. *Map* —5B **4**
Royd Av. *Mil G* —5A **16**
Royd Clo. *Wors* —4F **21**
Royd Field La. *Pen* —7F **17**
Royd La. *Hghm* —4G **9**
(in two parts)
Royd La. *Mil G* —4A **16**
Royd Moor Rd. *Thurl* —4C **16**
Royd Moor Rd. *Thurl* —3A **16**
Royds La. *Els* —4E **28**
Royd View. *Brier* —3J **7**
Roy Kilner Rd. *Wom* —4D **22**

Royston Cotts. *Hoy* —3K **27**
Royston Hill. *Hoy* —3K **27**
Royston La. *Roys* —4J **5**
Royston Rd. *Cud* —5C **6**
Rud Broom Clo. *Pen* —6E **16**
Rud Broom La. *Pen* —5D **16**
Rufford Av. *Barn* —6G **5**
Rufford Rise. *Gold* —4G **25**
Rushworth Clo. *Dart* —6G **3**
Ruskin Clo. *Wath D* —2K **29**
Russell Clo. *Barn* —2H **11**
Rutland Pl. *Wom* —6D **22**
Rutland Way. *Barn* —4C **10**
Rydal Clo. *Bolt D* —7G **25**
Rydal Clo. *Pen* —4F **17**
Rydal Ter. *Barn* —6G **11**
Rye Croft. *Barn* —1G **11**
Rylstone Wlk. *Barn* —2K **21**
Ryton Av. *Wom* —7H **23**

Sackup La. *Dart* —5K **3**
Sackville St. *Barn* —5D **10**
Sadler Ga. *Barn* —5E **10**
Sadler's Ga. *Wom* —4E **22**
St Andrews Cres. *Hoy* —3A **28**
St Andrews Dri. *Dart* —5A **4**
St Andrews Rd. *Hoy* —3A **28**
St Andrew's St. *Bolt D* —6G **25**
St Andrews Way. *Barn* —1C **22**
St Anne's Dri. *Barn* —7K **5**
St Austell Dri. *B Grn* —3J **9**
St Barbara's Rd. *Barn* —3H **23**
St Bart's Ter. *Barn* —7F **11**
St Catherine's Way. *Barn* —6B **10**
St Christophers Clo. *Barn* —1C **22**
St Clements Clo. *Barn* —1C **22**
St David's Dri. *Barn* —7B **12**
St Edward's Av. *Barn* —7D **10**
St Francis Boulevd. *Barn* —7K **5**
St George's Rd. *Barn* —6E **10**
St Helen's Av. *Barn* —2H **11**
St Helen's Boulevd. *Barn* —1H **11**
St Helens Clo. *Thurn* —7F **15**
St Helens Ct. *Hoy* —3C **28**
St Helen's St. *Els* —3C **28**
St Helen's View. *Barn* —2J **11**
St Helen's Way. *Barn* —2K **11**
St Helier Dri. *Barn* —5B **10**
St Hilda Av. *Barn* —6C **10**
St Hildas Clo. *Thurn* —6J **15**
St James' Clo. *Wors* —4G **21**
St James Sq. Hoy —3A **28**
(off High St.)
St John's. *Hoys S* —2H **17**
St John's Av. *B Grn* —3J **9**
St John's Clo. *Dod* —1J **19**
St John's Clo. *Pen* —6E **16**
St John's Rd. *Barn* —7E **10**
St John's Rd. *Cud* —1D **12**
St John's Wlk. *Roys* —3K **5**
St Julien's Mt. *Caw* —3C **8**
St Julien's Way. *Caw* —3C **8**
St Leonards La. *Barn* —1C **22**
St Lukes Way. *Barn* —4J **11**
St Martin's Clo. *Barn* —6B **10**
St Mary's Clo. *Cud* —7D **6**
St Marys Gdns. *Wors* —6G **21**
St Mary's Ga. *Barn* —5E **10**
St Mary's Pl. *Barn* —5E **10**
St Mary's Rd. *Darf* —3K **23**
St Mary's Rd. *Gold* —2K **25**
St Mary's Rd. *Wom* —6E **22**
St Mary's St. *Pen* —5F **17**
St Matthews Way. *Barn* —4J **11**
St Michael's Av. *Barn* —1K **11**
St Michaels Clo. *Gold* —3H **25**
St Owens Dri. *Barn* —5B **10**
St Paul's Pde. *Barn* —7F **12**
St Peters Ga. *Thurn* —6G **15**
St Peter's Ter. *Barn* —7G **11**
St Thomas's Rd. *Barn* —3A **10**
Salcombe Clo. *Map* —6C **4**
Salerno Way. *Darf* —2G **23**
Sale St. *Hoy* —4G **27**
Salisbury St. *Barn* —4D **10**
Saltersbrook. *Gold* —3H **25**
Saltersbrook Flats. *Gold* —3H **25**
Saltersbrook Rd. *Darf* —1H **23**
Salters Way. *Pen* —7F **17**
Samuel Rd. *Barn* —4B **10**
Samuel Sq. *Barn* —4B **10**
Sandbeck Clo. *Barn* —4E **10**

Sandcroft Clo. *Hoy* —5J **27**
Sanderson M. *Pen* —5F **17**
Sandford Ct. *Barn* —6D **10**
Sandhill Ct. *Gt H* —6D **14**
Sandhill Gro. *Grime* —5J **7**
Sandringham Clo. *Thurl* —4C **16**
Sandybridge La. Ind. Est. *Shaf* —3D **6**
Sandy La. *Wom* —6A **22**
Sankey Sq. *Gold* —3H **25**
Saunderson Rd. *Pen* —4D **16**
Saunder's Row. *Wom* —6E **22**
Savile Wlk. *Brier* —3K **7**
Saville Ct. *Hoy* —4H **27**
Saville Hall La. *Dod* —2K **19**
Saville La. *Thurl* —5C **16**
Saville Rd. *Dod* —2K **19**
Saville St. *Cud* —7D **6**
Saville Ter. *Barn* —7E **10**
Saxon Cres. *Wors* —3G **21**
Saxon St. *Cud* —1D **12**
Saxon St. *Thurn* —7J **15**
Saxton Clo. *Els* —3D **28**
Scarfield Clo. *Barn* —7B **12**
Scar La. *Barn* —7B **12**
Sceptone Gro. *Shaf* —3E **6**
Schofield Dri. *Darf* —2J **23**
Schofield Pl. *Darf* —2J **23**
Schofield Rd. *Darf* —2J **23**
Schole Av. *Pen* —5E **16**
Schole Hill La. *Pen* —6D **16**
Scholes View. *Hoy* —4A **28**
Scholes View. *Jump* —2B **28**
School Hill. *Cud* —7D **6**
School St. *Barn* —4D **10**
School St. *Bolt D* —6G **25**
School St. *Cud* —6D **6**
School St. *Darf* —2K **23**
School St. *Dart* —5G **3**
School St. *Gt H* —5C **14**
(in two parts)
School St. *Hem* —1E **28**
School St. *Map* —5C **4**
School St. *Stair* —7K **11**
School St. *Thurn* —7H **15**
School St. *Wom* —5F **23**
Selbourne Clo. *B Grn* —2J **9**
Selby Rd. *Barn* —7F **5**
Sennen Croft. *Barn* —4H **11**
Seth Ter. *Barn* —7G **11**
Shackleton View. *Pen* —6F **17**
Shaftesbury Dri. *Hoy* —4K **27**
Shaftesbury St. *Barn* —7A **12**
Shafton Hall Dri. *Shaf* —3D **6**
Shambles St. *Barn* —5D **10**
Shawfield Rd. *Barn* —7K **5**
Shaw La. *Barn* —6C **10**
Shaw La. *Carl* —5K **5**
Shaw St. *Barn* —6D **10**
Sheaf Ct. *Barn* —1K **21**
Sheaf Cres. *Bolt D* —7H **25**
Shed La. *S'boro* —5K **19**
Sheerien Clo. *Barn* —6E **4**
Sheffield Rd. *Barn* —7F **11**
Sheffield Rd. *Bird* —7E **20**
Sheffield Rd. *Hoy* —4G **27**
Sheffield Rd. *Pen & Oxs* —5G **17**
Shelley Clo. *Pen* —4F **17**
Shelley Dri. *Barn* —4G **11**
Shepherd La. *Thurn* —1H **25**
Shepherd St. *Barn* —7F **11**
Sherburn Rd. *Barn* —7E **4**
Sheridan Ct. *Barn* —4H **11**
Sherwood St. *Barn* —6F **11**
Sherwood Way. *Cud* —5C **6**
Shield Av. *Wors* —3G **21**
Shipcroft Clo. *Wom* —6G **23**
Shirland Av. *Barn* —1G **11**
Shore Hall La. *Mil G* —6A **16**
Shore St. *Wom* —6F **23**
Shortfield Ct. *Barn* —6E **4**
Short Row. *Barn* —7F **21**
Short St. *Hoy* —4H **27**
Short Wood Clo. *Bird* —7F **21**
Shortwood La. *Clay* —3E **14**
Shortwood Vs. *Hoy* —2G **27**
Shrewsbury Clo. *Pen* —5F **17**
Shrewsbury Rd. *Pen* —5F **17**
Shroggs Head La. *Darf* —2K **23**
Sidcop Rd. *Cud* —5C **6**
(in two parts)
Siena Clo. *Darf* —3G **23**

Sike Clo. *Dart* —5G **3**
Sike La. *Pen* —7C **16**
Silkstone Clo. *Tank* —4D **26**
Silkstone La. *Caw* —3D **8**
Silkstone View. *Hoy* —1A **28**
Silverdale Dri. *Barn* —2K **11**
Silverstone Av. *Cud* —7E **6**
Silver St. *Barn* —7E **10**
(in two parts)
Silver St. *Dod* —2K **19**
Simons Way. *Wom* —3D **22**
Sitka Clo. *Roys* —3H **5**
Skelton Av. *Map* —5B **4**
Skiers View Rd. *Hoy* —4J **27**
Skiers Way. *Hoy* —4J **27**
Skinpit La. *Hoy S* —2J **17**
Skye Croft. *Roys* —1J **5**
Slack La. *S Hien* —1C **6**
Slant Ga. *Mil G* —4A **16**
Small La. *Caw* —7A **8**
Smithies La. *Barn* —3E **10**
Smithies St. *Barn* —3E **10**
Smithley La. *Wom* —5B **22**
Smith St. *Wom* —5G **23**
Smithy Bri. La. *Wom* —2F **29**
(in two parts)
Smithy Grn. Rd. *Barn* —2F **11**
Smithy Wood La. *Dod* —2K **19**
Snailsden Way. *Map* —6D **4**
Snape Hill Rd. *Darf* —3H **23**
Snetterton Clo. *Cud* —7E **6**
Snowden Ter. *Wom* —5F **23**
Snow Hill. *Dod* —2K **19**
Snydale Rd. *Cud* —7D **6**
Sokell Av. *Wom* —6E **22**
Somerset Ct. *Cud* —1D **12**
Somerset St. *Barn* —5D **10**
Somerset St. *Cud* —1D **12**
Sorrento Way. *Darf* —1H **23**
South Av. *Roys* —4J **5**
South Cres. *Dod* —1K **19**
South Croft. *Shaf* —3E **6**
South Dri. *Bolt D* —7F **25**
South Dri. *Roys* —4J **5**
Southfield Cotts. *Barn* —5J **5**
Southfield Cres. *Thurn* —1F **25**
Southfield La. *Thurn* —2F **25**
Southfield Rd. *Cud* —3E **12**
Southgate. *Barn* —4C **10**
Southgate. *Hoy* —3A **28**
Southgate. *Pen* —6G **17**
South Ga. *S Hien* —1G **7**
South La. *Caw* —6A **8**
Southlea Av. *Hoy* —4B **28**
Southlea Clo. *Hoy* —4B **28**
Southlea Dri. *Hoy* —4A **28**
Southlea Rd. *Hoy* —4B **28**
South Pl. *Barn* —4B **10**
South Pl. *Wom* —5D **22**
South St. *Barn* —6D **10**
South St. *Barn* —6D **10**
South St. *Darf* —3J **23**
South St. *Dod* —2K **19**
South View. *Darf* —3J **23**
South View. *Grime* —1H **13**
S. View Rd. *Hoy* —4K **27**
Southwell St. *Barn* —5D **10**
S. Yorkshire (Redbrook) Ind. Est. *Barn* —2A **10**
Sparkfields. *Map* —6B **4**
Spark La. *B Grn & Map* —7A **4**
Spa Well Gro. *Brier* —3J **7**
Spa Well Ter. *Barn* —5F **11**
Spencer St. *Barn* —7E **10**
Springbank. *Darf* —3K **23**
Springbank Clo. *Barn* —6J **5**
Spring Dri. *Brmp* —1J **29**
Springfield. *Bolt D* —6E **24**
Springfield Clo. *Darf* —3K **23**
Springfield Cres. *Darf* —3K **23**
Springfield Cres. *Hoy* —4J **27**
Springfield Pl. *Barn* —6D **10**
Springfield Rd. *Grime* —7H **7**
Springfield Rd. *Hoy* —4H **27**
Springfield St. *Barn* —6C **10**
Springfield Ter. *Barn* —6D **10**
Spring Gdns. *Barn* —6J **5**
Spring Gdns. *Hoy* —3A **28**
Springhill Av. *Brmp* —1J **29**
Spring La. *Barn* —6J **5**
Spring La. *Wool* —2C **4**
Spring St. *Barn* —7E **10**
Spring Vale Av. *Wors* —4F **21**

Springvale Rd. *Gt H* —5C **14**
Spring Wlk. *Wom* —4D **22**
Springwood Rd. *Hoy* —4J **27**
Spruce Av. *Roys* —3H **5**
Spry La. *Clay* —3E **14**
Square, The. *Barn* —7D **10**
Square, The. *Grime* —1K **13**
Square, The. *Harl* —7K **27**
Stacey Cres. *Grime* —7H **7**
Stainborough Clo. *Dod* —2K **19**
Stainborough La. *Hood G* —6J **19**
Stainborough Rd. *Dod* —2K **19**
Stainborough View. *Tank* —3D **26**
Stainborough View. *Wors* —3F **21**
Staincross Comn. *Map* —4B **4**
Stainley Clo. *Barn* —3B **10**
Stainmore Clo. *Silk* —7D **8**
Stainton Clo. *Barn* —1E **10**
Stairfoot Ind. Est. *Barn* —1A **22**
Stamford Way. *Map* —4B **4**
Stanbury Clo. *Barn* —3B **10**
Standhill Cres. *Barn* —7E **4**
Stanhope Av. *Caw* —2D **8**
Stanhope Gdns. *Barn* —4C **10**
Stanhope St. *Barn* —6D **10**
Stanley La. *Barn* —1A **22**
Stanley St. *Barn* —6D **10**
Stanley St. *Cud* —2E **12**
Star La. *Barn* —6E **10**
Station Cotts. *Dart* —5G **3**
Station Rd. *Barn* —5D **10**
Station Rd. *Bolt D* —6G **25**
Station Rd. *Dart* —5J **3**
Station Rd. *Dod* —1J **19**
Station Rd. *Lun* —2B **12**
Station Rd. *Roys* —1H **5**
Station Rd. *Thurn* —7H **15**
Station Rd. *Wom* —5G **23**
 (in two parts)
Station Rd. *Wors* —4J **21**
Station Rd. Ind. Est. *Wom* —4G **23**
Station Ter. *Roys* —2A **6**
Steadfield Rd. *Hoy* —4H **27**
Stead La. *Hoy* —4H **27**
Steele St. *Hoy* —4G **27**
Steep La. *Pen* —4F **17**
Steeton Ct. *Barn* —3C **28**
Stevenson Dri. *Hghm* —3J **9**
Stirling Clo. *Els* —3C **28**
Stocks Hill Clo. *Barn* —5J **5**
Stock's La. *Barn* —5C **10**
Stockwith La. *Hoy* —2H **27**
Stonebridge La. *Gt H* —6C **14**
Stone Ct. *S Hien* —1G **7**
Stonegarth Clo. *Cud* —1D **12**
Stonehill Clo. *Hoy* —2J **27**
Stonehill Rise. *Cud* —1D **12**
Stonehill Rise. *Pen* —7E **16**
Stonelea Clo. *Silk* —7D **8**
Stoneleigh Croft. *Barn* —1F **21**
Stone St. *Barn* —3E **10**
Stonewood Gro. *Hoy* —5A **28**
Stonyford Rd. *Wom* —4H **23**
Storey's Ga. *Wom* —5D **22**
Storrs La. *H Grn* —7B **26**
Storrs La. *Oxs* —5A **18**
Storrs Mill La. *Cud* —5G **13**
Stotfold Dri. *Thurn* —7G **15**
Stotfold Rd. *Clay* —4H **15**
Stottercliffe Rd. *Pen* —5D **16**
Strafford Av. *Els* —3C **28**
Strafford Av. *Wors* —2F **21**
Strafford Gro. *Barn* —3F **27**
Strafford St. *Dart* —6G **3**
Strafford Wlk. *Dod* —2K **19**
Straight La. *Gold* —3J **25**
Strawberry Gdns. *Roys* —2J **5**
Street Balk. *Thurn* —5J **15**
Street La. *Wen* —7F **29**
Strelley Rd. *Barn* —6E **4**
Stretton Rd. *Barn* —2G **11**
Stuart St. *Thurn* —7J **15**
Stubbs Rd. *Wom* —6E **22**
Stump Cross Gdns. *Bolt D* —6F **25**
Sulby Gro. *Barn* —2K **21**
Summerdale Rd. *Cud* —1C **12**
Summer La. *Barn* —5C **10**
Summer La. *Roys* —2H **5**
Summer La. *Wom* —5D **22**
Summer Rd. *Roys* —2H **5**
Summer St. *Barn* —5D **10**
 (in two parts)
Sunderland Ter. *Barn* —7G **11**

Sunningdale Av. *Dart* —5A **4**
Sunningdale Dri. *Cud* —6E **6**
Sunnybank Dri. *Cud* —2D **12**
Sunny Bank Rise. *Els* —3C **28**
Sunny Bank Rd. *Silk* —7D **8**
Sunnybrook Clo. *Hoy* —5A **28**
Sunrise Mnr. *Hoy* —2A **28**
Surrey Clo. *Barn* —1F **21**
Sutton Av. *Barn* —6F **5**
Swaithedale. *Wors* —3J **21**
Swaithe View. *Wors* —3K **21**
Swale Clo. *Bolt D* —6H **25**
Swallow Clo. *Bird* —1F **27**
Swallow Clo. *Dart* —6H **3**
Swallow Hill Rd. *B Grn* —7A **4**
Swanee Rd. *Barn* —1H **21**
Sweyn Croft. *Wors* —3G **21**
Swift St. *Barn* —6D **10**
Sycamore Av. *Cud* —7D **6**
Sycamore Av. *Grime* —2K **13**
Sycamore Dri. *Roys* —3G **5**
Sycamore St. *Barn* —5C **10**
Sycamore Wlk. *Pen* —5F **17**
Sycamore Wlk. *Thurn* —7H **15**
Sydney Ter. *Barn* —7F **11**
Sykes Av. *Barn* —5D **10**
Sykes St. *King* —1D **20**

Talbot Rd. *Pen* —4E **16**
Tamar Clo. *Hghm* —4J **9**
Tanfield Clo. *Roys* —2G **5**
Tankersley La. *Hoy* —5F **27**
Tank Row. *Barn* —6K **11**
Tan Pit Clo. *Clay* —3H **15**
Tan Pit La. *Bolt D* —5H **25**
Tan Pit La. *Clay* —3H **15**
Tanyard. *Dod* —2J **19**
Tavy Clo. *B Grn* —2J **9**
Taylor Cres. *Grime* —1K **13**
Taylor Hill. *Caw* —3C **8**
Taylor Row. *Barn* —7F **11**
Tea Pot Corner. *Clay* —3H **15**
Tempest Av. *Darf* —1J **23**
Temple Way. *Barn* —4K **11**
Tennyson Clo. *Pen* —4F **17**
Tennyson Rd. *Barn* —3H **11**
Tenter Hill. *Thurl* —4C **16**
Tenters Grn. *Wors* —4F **21**
Thicket La. *Wors* —4J **21**
Thicket La. *Pen* —7G **17**
Thirlmere Clo. *Barn* —6G **11**
Thomas St. *Barn* —7F **11**
Thomas St. *Dart* —3K **23**
Thomas St. *Wors* —3G **21**
Thompson Rd. *Wom* —6F **23**
Thoresby Av. *Barn* —4J **11**
Thorne Clo. *Barn* —7E **4**
Thorne End Rd. *Map* —4B **4**
Thornely Av. *Dod* —7K **9**
Thornley Cotts. *Dod* —1K **19**
Thornley Sq. *Dod* —1K **19**
Thornley Sq. *Thurn* —7F **15**
Thornley Vs. *Bird* —2E **26**
Thornton Rd. *Barn* —1J **21**
Thornton Ter. *Barn* —1J **21**
Thorntree La. *Barn* —4D **10**
Three Nooks La. *Cud* —5D **6**
Thrumpton Rd. *Barn* —5F **5**
Thruxton Clo. *Cud* —7E **6**
Thurgoland Hall La. *Thurg* —7E **18**
Thurlstone Rd. *Pen* —4D **16**
Thurnscoe Bri. La. *Thurn* —2H **25**
Thurnscoe Bus. Pk. *Thurn* —1J **25**
Thurnscoe La. *Bolt D* —6D **14**
Thurnscoe Rd. *Bolt D* —6G **25**
Timothy Wood Av. *Bird* —1F **27**
Tingle Bri. Av. *Hem* —2E **28**
Tingle Bri. Cres. *Hem* —2E **28**
Tingle Bri. La. *Hem* —2E **28**
Tingle Clo. *Hem* —2E **28**
Tinker La. *Hoy* —3G **27**
Tinsley Rd. *Hoy* —2K **27**
Tippit La. *Cud* —2E **12**
Tipsey Hill. *Dart* —5D **4**
Tithe Laithe. *Hoy* —3A **28**
Tivy Dale Clo. *Caw* —3C **8**
Tivy Dale Dri. *Caw* —3C **8**
Tivydale Dri. *Dart* —7J **3**
Tivy Dale Rd. *Caw* —3C **8**
Togo Bldgs. *Thurn* —1G **25**
Togo St. *Thurn* —1G **25**
Tollbar Clo. *Oxs* —7K **17**

Tomlinson Rd. *Els* —3B **28**
Topcliffe Rd. *Barn* —2G **11**
Top Fold. *Barn* —7C **12**
Top La. *Clay* —3F **15**
Top Row. *Dart* —3J **3**
Tor Clo. *Barn* —2H **11**
Torver Dri. *Bolt D* —7G **25**
Totley Rd. *Barn* —7H **5**
Tower St. *Barn* —1E **20**
Towngate. *Dart* —5B **4**
Towngate. *Silk* —7D **8**
Towngate. *Thurl* —4C **16**
Tranmoor Ct. *Hoy* —4H **27**
Tredis Clo. *Barn* —4H **11**
Treecrest Rise. *Barn* —3E **10**
Treelands. *Barn* —4B **10**
Trelawney Wlk. *Wors* —3F **21**
Trewan Ct. *Barn* —4H **11**
Troutbeck Clo. *Thurn* —1G **25**
Trowell Way. *Barn* —6F **5**
Trueman Ter. *Barn* —5A **12**
Truro Ct. *Barn* —4H **11**
Tudor St. *Thurn* —7J **15**
Tudor Way. *Wors* —3G **21**
Tumbling La. *Barn* —1B **12**
Tune St. *Barn* —7G **11**
Tune St. *Wom* —6E **22**
Turnberry Gro. *Cud* —6E **6**
Turner Av. *Wom* —5D **22**
Turner's Clo. *Jump* —2B **28**
Turner St. *Gt H* —6C **14**
Turnesc Gro. *Thurn* —1H **25**
Tuxford Cres. *Barn* —5K **11**
Twibell St. *Barn* —4G **11**

Ullswater Clo. *Bolt D* —7G **25**
Ullswater Rd. *Barn* —7D **12**
Underhill. *Wors* —4H **21**
Underwood Av. *Wors* —2H **21**
Union St. *Barn* —7F **11**
Union St. *Barn* —7F **11**
Unwin Cres. *Pen* —6F **17**
Unwin St. *Pen* —6F **17**
Uplands Av. *Dart* —6G **3**
Up. Charter Arc. *Barn* —6F **11**
 (off Cheapside)
Up. Cliffe Rd. *Dod* —7J **9**
Up. Field La. *Dart* —5A **2**
Up. Folderings. *Dod* —1K **19**
Up. Forest Rd. *Barn* —6F **5**
Up. High Royds. *Dart* —6A **4**
Up. Hoyland Rd. *Hoy* —1H **27**
Up. May Day Grn. Arc. *Barn* —6F **11**
 (off Cheapside)
Up. New St. *Barn* —7F **11**
Up. Sheffield Rd. *Barn* —1G **21**
Upperwood Rd. *Darf* —2G **23**
Upton Clo. *Wom* —4D **22**

Vaal St. *Barn* —7H **11**
Vale View. *Oxs* —7K **17**
Valley Rd. *Barn* —2G **11**
Valley Rd. *Wom* —4G **23**
Valley Way. *Hoy* —3A **28**
Valley Way. *Wom* —5G **23**
Vancouver Dri. *Bolt D* —6F **25**
Vaughan Rd. *Barn* —4B **10**
Vaughan Ter. *Gt H* —5C **14**
Velvet Wood Clo. *Barn* —4A **10**
Velvet Wood Clo. *Hoy* —4H **27**
Venetian Cres. *Darf* —3H **23**
Vernon Av. *Barn* —1F **21**
Vernon Clo. *Barn* —1F **21**
Vernon Cres. *Wors* —3F **21**
Vernon Rd. *Wors* —3F **21**
Vernon St. *Barn* —5F **11**
Vernon St. *Bird* —3F **27**
Vernon St. *Hoy* —4K **27**
Vernon St. N. *Barn* —5F **11**
Vernon Ter. *Barn* —7G **11**
 (off Gold St.)
Vernon Way. *Barn* —4B **10**
Verona Rise. *Darf* —3J **23**
Vicarage Clo. *Hoy* —3A **28**
Vicarage Farm Ct. *Silk* —7E **8**
Vicarage La. *Roys* —3J **5**
Vicarage Wlk. *Pen* —5F **17**
Vicar Cres. *Darf* —3K **23**
Vicar Rd. *Barn* —3K **23**
Victoria Av. *Barn* —5E **10**
Victoria Cres. *Barn* —5D **10**

Victoria Cres. *Bird* —2E **26**
 (off Chapel St.)
Victoria Cres. W. *Barn* —5D **10**
Victoria Rd. *Barn* —5E **10**
Victoria Rd. *Roys* —2K **5**
Victoria Rd. *Wom* —5F **23**
Victoria St. *Barn* —5E **10**
Victoria St. *Cud* —7D **6**
Victoria St. *Darf* —2K **23**
Victoria St. *Gold* —3J **25**
Victoria St. *Hoy* —3B **28**
Victoria St. *Pen* —5F **17**
Victoria St. *Stair* —7K **11**
Victoria Ter. *Barn* —7G **11**
Victor Ter. *Barn* —7G **11**
Viewland Clo. *Cud* —2E **12**
Viewlands. *Silk C* —3E **18**
Viewlands Clo. *Pen* —3F **17**
Viewtree Clo. *Har* —7K **27**
Vincent Rd. *Barn* —4B **12**
Vincent Ter. *Thurn* —1K **25**
Vine Clo. *Barn* —3J **11**
Violet Farm Ct. *Brier* —4J **7**
Vissitt La. *Hems* —1J **7**
Vizard Rd. *Hoy* —3C **28**

Waddington Rd. *Barn* —5B **10**
Wade St. *Barn* —5B **10**
Wager La. *Brier* —3J **7**
Wainscott Clo. *Barn* —2J **11**
Wainwright Av. *Wom* —5D **22**
Wainwright Pl. *Wom* —5D **22**
Wakefield Rd. *Clay W* —1A **2**
Wakefield Rd. *Wool & Barn* —3C **4**
Walbert Av. *Thurn* —1G **25**
Walbrook. *Wors* —4H **21**
Walker Rd. *Tank* —4F **27**
Walkers Ter. *Barn* —2J **11**
Walk, The. *Bird* —3E **26**
Wall St. *Barn* —7C **10**
Walney Fold. *Barn* —1K **11**
Waltham St. *Barn* —7F **11**
Walton St. *Barn* —4C **10**
Walton St. N. *Barn* —4C **10**
Wansfell Ter. *Barn* —6G **11**
Ward St. *Pen* —6F **17**
Wareham Gro. *Dod* —7A **10**
Warner Av. *Barn* —5B **10**
Warner Pl. *Barn* —5C **10**
Warner Rd. *Barn* —5B **10**
Warren Clo. *Roys* —1K **5**
Warren Cres. *Barn* —1F **5**
Warren La. *Dart* —3B **4**
Warren Pl. *Barn* —1F **5**
Warren Quarry La. *Barn* —1F **21**
Warren View. *Barn* —7F **11**
Warren View. *Hoy* —5J **27**
Warren Wlk. *Roys* —2J **5**
 (in two parts)
Warsop Rd. *Barn* —5E **4**
Warwick Rd. *Barn* —4H **11**
Washington Av. *Wom* —6D **22**
Washington Rd. *Gold* —4H **25**
Waterdale Rd. *Wors* —4F **21**
Waterfield Pl. *Barn* —7A **12**
Water Hall La. *Pen* —4F **17**
Water Hall View. *Pen* —4F **17**
Watering La. *Barn* —7E **12**
Watering Pl. La. *Thurl* —5C **16**
Water La. *Raw* —6C **8**
Waterloo Rd. *Barn* —6D **10**
Watermead. *Bolt D* —7H **25**
Water Royd Dri. *Dod* —1K **19**
Waterside Pk. *Wom* —6H **23**
Wath Rd. *Bolt D* —7G **25**
Wath Rd. *Brmp* —6H **23**
Wath Rd. *Els & Hem* —5D **28**
Wath W. Ind. Est. *Wath D* —7A **24**
Watnall Rd. *Barn* —4H **11**
Watson St. *Hoy* —4H **27**
Waveney Dri. *Hghm* —4J **9**
Waycliffe. *Barn* —4J **11**
Wayland Av. *Wors* —3F **21**
Weaver Clo. *Barn* —4J **9**
Weet Shaw La. *Shaf* —5C **6**
Weir Clo. *Hoy* —4A **28**
Welbeck St. *Barn* —7D **10**
Welfare Rd. *Thurn* —7H **15**
Welfare View. *Dod* —7K **9**
Welfare View. *Gold* —4H **25**
Welland Ct. *Hghm* —4J **9**
Welland Cres. *Els* —3C **28**

A-Z Barnsley 39

Wellfield Gro. *Pen* —3F **17**
Wellfield Rd. *Barn* —4D **10**
Wellgate. *Map* —5B **4**
Well Hill Gro. *Roys* —2J **5**
Well Ho. La. *Ing* —2D **16**
Well Ho. La. *Pen* —3F **17**
Wellhouse Way. *Pen* —3F **17**
Wellington Clo. *Barn* —3H **11**
Wellington Cres. *Wors* —2J **21**
Wellington Pl. *Barn* —6D **10**
Wellington St. *Barn* —6E **10**
Wellington St. *Gold* —3J **25**
Well La. *Barn* —2J **11**
Well La. Ct. *Bil* —2D **24**
Wells St. *Cud* —1D **12**
Well's St. *Dart* —6J **3**
Well St. *Barn* —6D **10**
Wendel Gro. *Els* —3D **28**
Wensley Ct. *Barn* —7E **4**
Wensley Rd. *Barn* —7E **4**
Wensley St. *Thurn* —7F **15**
Wentworth Cres. *Map* —6D **4**
Wentworth Cres. *Pen* —5F **17**
Wentworth Dri. *Map* —6C **4**
Wentworth Ind. Pk. *Tank* —5D **26**
Wentworth Rd. *B Hill* —7K **21**
Wentworth Rd. *Dart* —6H **3**
Wentworth Rd. *Els* —5C **28**
Wentworth Rd. *Jump* —2C **28**
Wentworth Rd. *Map* —3C **4**
Wentworth Rd. *Pen* —4E **16**
(in two parts)
Wentworth St. *Barn* —4E **10**
Wentworth St. *Bird* —2E **26**
Wentworth View. *Hoy* —4A **28**
(Millhouses St.)
Wentworth View. *Hoy* —4J **27**
(Willow Clo.)
Wentworth View. *Wom* —7F **23**
Wentworth Way. *Dod* —2K **19**
Wentworth Way. *Tank* —5D **26**
Wescoe Av. *Gt H* —6C **14**
Wessenden Clo. *Barn* —6A **10**
West Av. *Bolt D* —7F **25**
West Av. *Roys* —2K **5**
West Av. *Wom* —5D **22**
Westbourne Gro. *Barn* —4D **10**
Westbourne Ter. *Barn* —6C **10**
Westbury Clo. *Barn* —3B **10**
West Cres. *Oxs* —6J **17**
West End. *Mil G* —5A **16**
W. End Av. *Roys* —3G **5**
W. End Cres. *Roys* —3G **5**
W. End Rd. *Wath D* —2K **29**
Western St. *Barn* —5E **10**
Western Ter. *Wom* —5E **22**
Westfield Av. *Thurl* —4C **16**
Westfield Cres. *Thurn* —7F **15**
Westfield La. *Barn* —2H **9**
Westfield La. *Thurl* —4B **16**
Westfield Rd. *Brmp & Wath D* —3J **29**
Westfields. *Roys* —2G **5**
Westfields. *Wors* —4G **21**
Westfield St. *Barn* —6D **10**
Westgate. *Barn* —6E **10**
Westgate. *Monk B* —3H **11**
Westgate. *Pen* —6F **17**
West Gro. *Roys* —2G **5**
W. Hall Fold. *Wen* —7C **28**
Westhaven. *Cud* —2E **12**
W. Kirk La. *Lit H* —1C **24**

W. Moor Cres. *Barn* —6A **10**
W. Moor La. *Bolt D & Harl* —6K **25**
West Mt. Av. *Wath D* —1K **29**
W. Pinfold. *Roys* —3J **5**
Westpit Hill. *Brmp B* —2J **29**
West Rd. *Barn* —5B **10**
West St. *Darf* —3J **23**
West St. *Gold* —2J **25**
West St. *Hoy* —3J **27**
West St. *Roys* —2K **5**
West St. *S Hien* —1G **7**
West St. *Wom* —5E **22**
West St. *Wors* —4G **21**
West View. *Barn* —1E **20**
West View. *Cud* —2E **12**
W. View Cres. *Gold* —4G **25**
W. View Ter. *Wors* —4H **21**
Westville Rd. *Barn* —4D **10**
West Way. *Barn* —6E **10**
Westwood Ct. *Barn* —5E **10**
Westwood La. *H Grn* —5B **26**
Westwood New Rd. *Barn* —4G **27**
(off Sheffield Rd.)
Westwood New Rd. *H Grn* —7D **26**
Whaley Rd. *Barn* —2K **9**
Wharfedale Rd. *Barn* —5A **10**
Wharf St. *Barn* —4G **11**
Wharncliffe. *Dod* —2A **20**
Wharncliffe Clo. *Hoy* —5K **27**
Wharncliffe St. *Barn* —6D **10**
Wharncliffe St. *Carl* —6K **5**
Wheatfield Dri. *Thurn* —1H **25**
Wheatley Clo. *Barn* —3F **11**
Wheatley Rise. *Map* —4B **4**
Wheatley Rd. *Barn* —1A **22**
Whinby Croft. *Dod* —1K **19**
Whinby Rd. *Dod* —7H **9**
Whin Gdns. *Thurn* —6H **15**
Whin La. *Silk* —1B **18**
Whinmoor Clo. *Silk* —6D **8**
Whinmoor Ct. *Silk* —6D **8**
Whinmoor Dri. *Silk* —6D **8**
Whin Moor La. *Silk* —7A **8**
Whinmoor View. *Silk* —6D **8**
Whinmoor Way. *Silk* —6D **8**
Whinside Cres. *Thurn* —6G **15**
White Cross Av. *Cud* —2D **12**
White Cross Ct. *Cud* —2D **12**
White Cross La. *Wors* —3K **21**
White Cross Rise. *Wors* —3K **21**
White Cross Rd. *Cud* —2D **12**
White Hill Av. *Barn* —6A **10**
White Hill Gro. *Barn* —6B **10**
White Hill Ter. *Barn* —6A **10**
Whitewood Clo. *Roys* —3H **5**
Whitworth Bldgs. *Thurn* —7J **15**
(off Clarke St.)
Whitworth St. *Gold* —3J **25**
Whyn View. *Thurn* —7G **15**
Wigfield Dri. *Wors* —3F **21**
Wike Rd. *Barn* —5A **12**
Wilbrook Rise. *Barn* —3A **10**
Wilby La. *Barn* —7G **11**
Wilford Rd. *Barn* —5E **4**
Wilfred Ter. *Barn* —7E **10**
Wilkinson Rd. *Els* —4C **28**
Wilkinson St. *Barn* —7F **11**
William St. *Gold* —3G **25**
William St. *Wom* —5E **22**
William St. *Wors* —3G **21**
Willman Rd. *Barn* —4B **12**

Willow Bank. *Barn* —2D **10**
(in two parts)
Willowbrook Rd. *Map* —6A **4**
Willow Clo. *Cud* —7D **6**
Willow Clo. *Hoy* —4J **27**
Willowcroft. *Bolt D* —7F **25**
Willow Dene Rd. *Grime* —7J **7**
Willow La. *Bolt D* —7H **25**
Willow La. *Pen* —6K **17**
Willow Rd. *Thurn* —6H **15**
Willows, The. *Darf* —3J **23**
Willows, The. *Oxs* —7K **17**
Willow St. *Barn* —7D **10**
Wilsden Gro. *Barn* —4B **10**
Wilson Av. *Pen* —6F **17**
Wilson Gro. *Barn* —3A **12**
Wilson St. *Wom* —5D **22**
Wilson Wlk. *Dod* —2A **20**
Wilthorpe Av. *Barn* —3C **10**
Wilthorpe Cres. *Barn* —3C **10**
Wilthorpe Farm Rd. *Barn* —3C **10**
Wilthorpe Grn. *Barn* —3C **10**
Wilthorpe La. *Barn* —3B **10**
Wilthorpe Rd. *Barn* —3A **10**
Wilthorpe Rd. *Barn* —3A **10**
Winchester Way. *Barn* —1C **22**
Windermere Av. *Gold* —4J **25**
Windermere Rd. *Barn* —6G **11**
Windermere Rd. *Pen* —4F **17**
Winders Pl. *Wom* —6F **23**
Windham Clo. *Barn* —4F **11**
Windhill Av. *Dart* —3A **4**
Windhill Cres. *Dart* —3A **4**
Windhill Dri. *Dart* —3A **4**
Windhill La. *Dart* —3K **3**
Windhill Mt. *Dart* —3A **4**
Windmill Av. *Grime* —6H **7**
Windmill La. *Thurl* —5C **16**
Windmill Rd. *Wom* —6D **22**
Windmill Ter. *Roys* —1H **5**
Windsor Av. *Barn* —6G **3**
Windsor Av. *Thurl* —4C **16**
Windsor Ct. *Thurn* —7J **15**
Windsor Cres. *Barn* —4H **11**
Windsor Cres. *Lit H* —1B **24**
Windsor Dri. *Dod* —1K **19**
Windsor Sq. *Thurn* —7J **15**
Windsor St. *Hoy* —3K **27**
Windsor St. *Thurn* —7J **15**
Wingfield Rd. *Barn* —1G **11**
Winmarith Dri. *Roys* —3H **5**
Winster Clo. *Bird* —1F **27**
Winter Av. *Barn* —5C **10**
Winter Av. *Roys* —1J **5**
Winter Rd. *Barn* —5C **10**
Winter Ter. *Barn* —5C **10**
Winton Clo. *Barn* —1G **21**
Witham Ct. *Hghm* —4J **9**
Withens Ct. *Map* —5A **4**
Woburn Pl. *Dod* —2K **19**
Wollaton Av. *Barn* —6E **4**
Wombwell La. *Barn & Wom* —1A **22**
Wombwell La. *Hoy* —6K **21**
Wombwell Rd. *Hoy* —2A **28**
Woodcock Rd. *Hoy* —4A **28**
Wood End Av. *Cub* —7E **16**
Woodfield Clo. *Darf* —2J **23**
Woodfield Rd. *Wath D* —3K **29**
Woodhall Flats. *Darf* —2J **23**
Woodhall Rd. *Darf* —2J **23**
Woodhead Dri. *B Hill* —7K **21**
Woodhead La. *Hoy* —6A **22**

Woodhouse La. *Wool* —1A **4**
Woodhouse Rd. *Hoy* —4A **28**
Woodland Dri. *Barn* —7B **10**
Woodland Rise. *Silk* —3E **18**
Woodlands Rd. *Hoy* —1A **28**
Woodlands View. *Gt H* —5C **14**
Woodlands View. *Hoy* —2A **28**
Woodlands View. *Wom* —1C **28**
Woodland Ter. *Grime* —2K **13**
Woodland View. *Cud* —2D **12**
Woodland View. *Silk C* —3D **18**
Woodland Vs. *Tank* —4E **26**
Wood La. *Barn* —4E **4**
Wood La. *Carl* —4G **5**
(in two parts)
Wood La. *Grime* —1J **13**
Woodmoor St. *Barn* —6K **5**
Woodroyd Av. *Barn* —5J **5**
Woodroyd Clo. *Barn* —5J **5**
Woodstock Rd. *Barn* —3D **10**
Wood St. *Barn* —7E **10**
Wood St. *S Hien* —1G **7**
Wood St. *Wom* —6E **22**
Wood Syke. *Dod* —1A **20**
Wood View. *Bird* —3F **27**
Wood View. *Els* —4C **28**
Wood View La. *Barn* —4B **10**
Wood Wlk. *Hoy & Wom* —1A **28**
Wooley Av. *Wom* —6E **22**
Woolley Colliery Rd. *Dart* —5J **3**
Woolley Edge La. *Wool* —1J **3**
Woolstocks La. *Caw* —4C **8**
Wordsworth Av. *Pen* —6E **16**
Wordsworth Rd. *Barn* —3H **11**
Wordsworth Rd. *Wath D* —2K **29**
Work Bank La. *Thurl* —4C **16**
Worral Clo. *Wors* —2F **21**
Worsbrough Rd. *Bird* —1F **27**
Worsbrough Rd. *B Hill* —7K **21**
Worsbrough View. *Tank* —3D **26**
Worsley Clo. *Barn* —2H **21**
Wortley Av. *Wom* —3D **22**
Wortley St. *Barn* —6E **10**
Wortley View. *B Hill* —7K **21**
Wrelton Clo. *Roys* —3H **5**
Wrens Way. *Bird* —1F **27**
Wren View. *Barn* —1F **21**
Wright Cres. *Wom* —6F **23**
Wycombe St. *Barn* —5A **12**
Wyn Gro. *Brmp* —1J **29**
Wynmoor Cres. *Brmp* —2J **29**

Yewdale. *Wors* —3H **21**
Yews Av. *Wors* —3H **21**
Yews La. *Wors* —3H **21**
Yews Pl. *Barn* —1H **21**
York St. *Barn* —6E **10**
York St. *Cud* —1C **12**
York St. *Hoy* —2A **28**
York St. *Thurn* —6J **15**
York St. *Wom* —5F **23**
York Ter. *Thurn* —7J **15**
(off Chapman St.)
Yvonne Gro. *Wom* —5D **22**

Zetland Rd. *Els* —4D **28**
Zion Dri. *Map* —5B **4**
Zion Ter. *Barn* —1A **22**
